afge

D0294902

De dierenambulance rukt uit

Monique van der Zanden

De dierenambulance rukt uit

De Fontein

ISBN-10: 90 261 3207 7
ISBN-13: 978 90 261 3207 0
NUR 282, 283

Ik wil…

Stichting Dierenambulance 's-Hertogenbosch,
Peter van der Velden, mijn collega op de ambulance
en dierenkenner bij uitstek,
en Alex Beset, slangenkenner

bedanken voor hun enthousiaste medewerking
aan dit boek!

Zielig!

'Pas op!' gilt een vrouw. Ze trekt een peuter-tje aan zijn arm achteruit.

Een paar meter van hen vandaan spreidt een enorme vogel zijn vleugels en zet zich af. Hij strekt zijn nek, klapwiekt... Een paar tellen zweeft hij door de lucht, zijn lange poten achter zich aan slierend, vlak boven de hoofden van de toegestroom-de mensen. De mensen in zijn baan duiken verschrikt weg voor de vlijmscherpe snavel, anderen gillen. De vogel maakt een scherpe draai, probeert hoger te komen, maar tuimelt opeens met fladderende vleugels terug naar de grond en landt struikelend.

'Hij kan niet meer vliegen,' roept een jochie.

'Daar is de dierenambulance!' Een meisje van een jaar of elf zwaait met haar armen naar de felgekleurde bus die zoekend de straat indraait. 'Hierheen! Hier moeten jullie zijn!'

De bus stopt en het meisje rukt het portier van de bijrijder open. 'Nanda, Loek, ik heb jullie gebeld. Ze zeggen dat dat beest hier al een uur rondloopt. Soms fladdert hij even op, maar hij vliegt niet weg.'

'Ha, Princess! Is hij gewond?' vraagt Nanda. Ze springt uit de ambulance en trekt de zijdeur open om het grote vangnet te pakken.

Princess schudt haar hoofd. Haar lange donkere haren

wapperen in de koude voorjaarswind. 'Ik geloof het niet, maar ik ben niet erg dichtbij gekomen. Hij is al bang genoeg.' 'Je bent een kei,' zegt de chauffeur van de dierenambulance. Achter zijn oor krabbend staart hij naar de vogel die nu doodstil achter een heg staat. De sneeuwwitte lange nek en kop steken er parmantig bovenuit. 'Maar leg me eens uit: hoe kom je in vredesnaam aan een ooievaar midden in de stad, Princess?'

Nanda klikt de lange steel aan de ring met het vangnet en tikt op zijn schouder. 'Vang jij hem, Loek?' vraagt ze. 'Of ik?' Ze weet hoe handig Loek is met het vangen van dieren.

Loek neemt het net van haar over. 'Laat mij het maar eens proberen,' zegt hij. 'Maar ik weet niet of het een succes wordt. Er zijn erg veel mensen. Ik hoop dat ze hem niet op stang jagen.'

Pal achter hem remt een fietser met piepende banden.

'Rat!' bromt Loek, die zonder omkijken weet wie het is. 'Vandaag of morgen rij je me van de sokken met dat rotgeintje. Je komt als geroepen. Is de rest van jullie vierkoppige bende er ook?'

Rat grijnst. 'Ruud en Fro komen eraan. Hoe komt Princess zo vlug hier?'

Princess tikt de baseballpet van zijn hoofd. 'Ha, pech voor jou, jongetje. Ik was er het eerst! Ik ontdekte die ooievaar en heb de dierenambulance gebeld.'

Rat graait zijn vallende pet uit de lucht. Hij blaast zijn wangen bol. 'Pff, sommige mensen hebben altijd mazzel, hè, Blits?' Hij kriebelt de tamme rat die op zijn schouder zit. Blits is de reden van Rats bijnaam. Rat en Blits zijn onafscheidelijk, behalve op school. Eigenlijk heet Rat gewoon Olaf. Hij kijkt Princess dreigend aan. 'En sommige mensen gaan klapjes krijgen als ze nog één keer aan mijn pet komen!'

Twee tellen later stoppen ook Ruud, zijn tweelingbroer, en hun vriendin Fro op hun citybikes bij de ambulance. Loek laat hen niet op adem komen. 'Luister, bende,' zegt hij. 'Princess, jij helpt Nanda met drijven, oké? En ik zou graag willen dat de twee broertjes en Fro ervoor zorgen dat die mensen daar geen gekke dingen doen. Als die ooievaar in paniek raakt, komen we van de regen in de drup. Stel je voor dat hij op de weg belandt!'

Het viertal knikt. Princess steekt triomfantelijk een vuist op naar haar vrienden en loopt stoer met Nanda en Loek mee. Rat, Ruud en Fro zetten hun fietsen op slot en gaan bij de toeschouwers staan, die vol verwachting naar de ambulancemensen in hun feloranje jack kijken.

De ooievaar heeft in de gaten dat er iets staat te gebeuren. Hij dribbelt zenuwachtig rondjes op het pleintje. Loek loopt langzaam met het net op hem af, terwijl hij het dier kalmerend toespreekt: 'Kom maar jongen, wat is er aan de hand? Laat me je eens bekijken.'

Nanda loopt van de andere kant naar de ooievaar toe. Ze houdt haar armen wijd uit elkaar om zich zo breed mogelijk te maken. Princess doet hetzelfde en zo proberen ze de vogel in een hoek te drijven. Maar die is niet gek. Met grote passen van zijn lange rode steltpoten probeert hij tussen Nanda en Princess door te glippen.

9

'Hij ontsnapt,' roept een mevrouw met een boodschappen-tas.

Princess zet kalm een stap opzij en snijdt de ooievaar de pas af. Die draait zich meteen om en snelt de andere kant op, maar daar staat Loek met zijn net. Wanhopig spreidt het dier zijn grote zwart-witte vleugels en vliegt op, maar hij komt niet hoger dan anderhalve meter. Hulpeloos fladderend tuimelt hij uit de lucht. De toeschouwers schreeuwen opgewonden.

'Sst,' sissen Ruud en Rat, en Fro roept twee jochies van een jaar of negen terug die met hun armen zwaaiend achter de ooievaar aan willen hollen. 'Niet doen, kom terug, zo krijgen ze hem niet te pakken!'

'Als je op dieren afgaat, moet je dat altijd rustig doen,' legt

Ruud uit aan de toeschouwers. 'Als je ze aan het schrikken maakt, gaan ze ervandoor.'

'Nou en?' zegt een van de jochies. 'Als hij wil wegvliegen, mag dat toch best?'

'Tuurlijk,' knikt Ruud. 'Maar er is iets met hem aan de hand, anders was hij allang foetsie geweest.'

'We willen zien wat hij mankeert vóór hij wegvliegt,' vult Rat aan.

Het jochie snuift. 'Hoezo *we* willen zien? Je doet net of jullie bij de dierenambulance horen, opschepper!'

Fro grinnikt. 'Ratje is een opschepper, maar dit keer overdrijft hij niet. Wij horen zo'n beetje bij de dierenambulance, weet je.'

De jongen knijpt zijn ogen tot spleetjes. 'O ja? Waar zijn jullie oranje jassen dan? Jullie kwamen toch niet uit die bus?'

'Om vrijwilliger te worden bij de ambulance moet je achttien jaar zijn,' vertelt Fro. 'Maar mijn vrienden en ik fietsen hem altijd achterna als we niet op school zitten. We helpen met van alles en nog wat.'

Tijdens hun gesprek verliezen ze de ooievaar geen moment uit het oog. Die dribbelt nu eens naar links, dan weer naar rechts, zenuwachtig met zijn vleugels klapperend. Langzaam maar zeker wordt hij door Nanda, Loek en Princess in een hoek gedreven. Opeens zet hij zich af om weer op te vliegen, maar nu slaat Loek met een bliksemsnelle beweging het net door de lucht.

'O,' roepen de mensen. Ze juichen te vroeg. De ring met het net glijdt weg over de machtige vleugels die wild op en neer slaan. De ooievaar duikt naar beneden, wringt zich onder het net uit en fladdert opnieuw omhoog!

'O,' roepen de mensen, nog luider.

Maar Loek is sneller dan de vluchteling. Weer zwaait hij het net door de lucht en dit keer heeft hij beet. De ring glijdt over de ooievaar, een scheppende beweging... Hulpeloos spartelt het dier in het net.

'Wow,' gillen de mensen, en stromen op Loek toe. Die pulkt de tegenstribbelende ooievaar uit het net, behendig met de ene arm de vleugels tegen het vogellijf vouwend, terwijl hij met zijn vrije hand de vervaarlijke rode snavel beetpakt.

Nanda schiet toe en verwijdert de rest van het net. 'Haal even een bench uit de auto, Princess,' zegt ze. 'De grootste die je vinden kunt!'

Princess rent al.

'Is-ie gewond, meneer?' vraagt een van de jochies van daarstraks, die er met zijn neus bovenop staat.

Loek betast en bekijkt de indrukwekkende vogel. Hij schudt zijn hoofd. 'Nee, maar hij is broodmager. De strenge winter heeft hem bijna de kop gekost. Hij is uitgeput, daarom kan hij niet meer vliegen.'

De ooievaar is rustiger geworden en blikt met priemende gele ogen in het rond. Fro aait de witte en zwarte veren. 'Wat is hij prachtig,' zegt ze.

'Is-ie zwaar, meneer?' vraagt het jochie, met grote ogen het dier bekijkend.

'Ongeveer vijf kilo,' zegt Loek. 'Zeg maar zo zwaar als een flinke zak aardappels.'

Rat grijnst. 'O, dáárom zit-ie in de puree.'

Fro geeft hem een stomp.

'Ooievaars trekken toch in de winter naar Afrika?' zegt een man. 'Wat doet deze in Nederland? Is hij al terug?'

'Nee hoor,' zegt Loek. 'Kijk, hij heeft een ring aan zijn poot. Bijna veertig jaar geleden waren de ooievaars in ons land bijna uitgestorven. De vogelbescherming is er toen mee gaan fokken, en de opgekweekte vogels trekken niet meer. Die overwinteren gewoon.'

'Wat gaat er met hem gebeuren?' vraagt een meisje.

'We brengen hem naar de vogelopvang om aan te sterken,' vertelt Loek. 'En als hij weer de oude is, laten we hem los. Zeg, waar blijft Princess met die bench?'

Princess is naar de dierenambulance gehold en heeft de grootste kattenbench die ze ziet uit de kast getrokken. Ze fronst haar wenkbrauwen. Past die ooievaar daar in? Dan moeten ze hem wel eerst dubbelvouwen! Maar er zal niets anders op zitten. Haar oog valt op de kunststof bodem. 'Stik,' zegt ze. Degene die hem het laatst heeft schoongemaakt, is vergeten er een krant in te leggen! En dat moet, om ervoor te zorgen dat poep en pies opgevangen worden.

Princess kruipt de bus in en zoekt in de kastjes. Als het goed is, ligt hier ergens een stapeltje kranten. Ja! Onder twee rollen vuilniszakken vindt ze er een paar van vorige week. Ze pakt de bovenste van de stapel en vouwt hem open zodat hij de bodem van de bench goed bedekt. Haar oog valt op een berichtje. 'Alweer?' hijgt ze verschrikt.

Weer huisdieren gestolen!

Van onze verslaggever. **Opnieuw zijn er in onze gemeente huisdieren verdwenen. De afgelopen nacht sloegen de dieven een grote slag. Uit zeven woningen en tuinen verdwenen konijnen, cavia's, hamsters, twee poezen, een hond en een fret.**

Het is de politie een raadsel wat er met de gestolen dieren gebeurt. 'Er zat niet één kostbaar rasdier bij,' aldus een woordvoerder. 'Veel geld zullen ze dus niet opleveren.'

De geheimzinnige bende teistert de regio al wekenlang. Hoewel de politie met alle middelen probeert een spoor te pakken te krijgen, zijn alle pogingen tot nu toe vruchteloos gebleken.

Princess kijkt naar de foto van een huilend meisje bij een leeg konijnenhok. Ze voelt zich boos en bang. Kreeg de politie dat tuig maar te pakken! Ze moet er niet aan denken dat haar beestjes gestolen worden. Sinds alle berichten over de rare diefstallen zou ze het liefst haar konijntje en cavia's op haar slaapkamer zetten, maar dat mag niet van haar ouders. Ze maken er al dagenlang ruzie over!

'Loek vraagt waar je met die bench blijft,' klinkt een stem achter haar. Het is Fro. Als ze ziet wat Princess aan het doen is, roept ze uit: 'Zit je hier doodleuk de krant te lezen!'

'Niet waar,' zegt Princess, die haastig de krant in de bench schuift, het deurtje dichtklikt en opspringt. 'Er stond een stukje in over die dierendieven, en dat heb ik even gelezen.'

'O, dat,' zegt Fro. Ze trekt een vies gezicht. 'Ziek! Wie steelt er nou huisdieren?'

Ze hollen met de bench naar Loek en Nanda, en houden

hem vast terwijl Loek de ooievaar er voorzichtig inschuift. Maar wat Princess al verwachtte, gebeurt: het arme beest past er niet in! Zijn lange stelten steken eruit. Loek krabt achter zijn oren. Fro krijgt de slappe lach.

'Lach jij maar,' zegt Loek. Hij duwt net zolang tegen de poten tot het deurtje sluit.

'O, da's zielig,' hikt Fro.

'Het kan niet anders,' zegt Loek. 'Of neem jij 'm achter op je fiets mee?'

'Dat gaat niet zonder fietsstoeltje,' giechelt Fro, die een nieuwe lachaanval krijgt.

Nanda volgt het gesol met de patiënt met een scheef oog, terwijl ze met het mobieltje van de ambulance Hans Kusters van de vogelopvang belt.

'Nee... nee...' zegt ze. 'Ik snap het. Dan zullen we hem tot vanavond op ons kantoor moeten houden. Maar ik ben benieuwd of je hem tegen die tijd nog uitgevouwen krijgt!'

Loek kijkt haar vragend aan als ze het mobieltje uitdrukt.

'Hans kan vanmiddag niet komen,' legt ze uit. 'Vanavond op zijn vroegst.' Vol medelijden kijkt ze naar de ooievaar, die worstelt om in een gemakkelijker houding te komen. 'Maar dat arme beest kan toch niet al die tijd in dat ding blijven zitten!'

'We zullen hem op kantoor in de zwanenzak doen,' stelt Loek haar gerust. 'Kom, dan gaan we snel terug.'

Op dat moment gaat het mobieltje dat Nanda nog in haar hand heeft. Ze neemt op. 'Zeg het maar, Francis.'

Francis is de centraliste op het kantoor van de dierenambulance. Ze neemt alle telefoontjes aan en geeft ze als het nodig is door aan de wagen. Nanda maakt een schrijfgebaar naar Loek. Die trekt pen en papier uit zijn zak.

'Mevrouw Van de Sluys meldt een vogel in haar achtertuin... Hij zit er al twee dagen en ze weet niet wat hem mankeert... Het is een roofvogel, denkt ze. Dahliastraat 7... Telefoon 3812974... Oké. Maar... Wat? Heeft ze hem niet in een doos gezet of zoiets? Verdorie, Francis, moeten we er dan op af? In onze regels staat dat zo'n beest moet vastzitten, anders rijden we er voor Piet Snot naartoe! Vliegt-ie doodleuk weg als wij hem proberen te pakken... Wat? Nee... nee, ik begrijp het. Tja, als ze zo bang is... Maar luister eens, Francis, we hebben een opgefrommelde ooievaar in de bench die we eerst moeten lossen, anders ben ik bang dat-ie straks niet meer uit de kreukels komt. Wat? Gewoon, dubbelgevouwen! Nee, hij is niet van het circus. We komen eerst terug, oké?'

Nanda haalt haar schouders op terwijl ze het mobieltje in de zak van haar oranje jack stopt. 'Die enge vogel moet even wachten, hoor,' zegt ze. 'Die mevrouw durft hem niet in een doos te zetten, ze is als de dood voor hem. Ze durft zelfs haar achtertuin niet in.'

'Wíj kunnen hem in een doos gaan zetten,' zegt Rat, die met gespitste oren geluisterd heeft. 'Of in een bench of kooi, als we die van jullie krijgen. De Dahliastraat is hier vlakbij.'

'Ja!' roepen Ruud, Princess en Fro tegelijk.

'Goed idee,' zegt Loek. 'Pak maar een kooi uit de wagen en race naar mevrouw-hoe-heet-ze? Van de Sluys. Wij komen zo snel mogelijk, behalve als jullie ons een seintje geven dat de vogel gevlogen is.'

16

'En pas goed op voor de klauwen!' waarschuwt Nanda.

'Van mevrouw Van de Sluys?' vraagt Rat met een onschuldig gezicht.

'Nee, van die roofvogel natuurlijk,' lacht Nanda. 'Die zijn vlijmscherp en beresterk!'

'We nemen de dikke handschoenen wel mee,' zegt Ruud.

'En als-ie agressief is: afblijven!' zegt Loek.

Ze draaien zich om, zeggen de mensen gedag en gaan op weg naar de geparkeerde bus.

'Hé, meneer,' roept een opgeschoten slungel uit het publiek. 'Bent u niks vergeten?'

'Wat?' vraagt Loek, verbaasd om zich heen kijkend.

De slungel wijst naar de ooievaar en grijnst breed. 'Moet hier niet ergens een baby liggen?'

Een vogel met een walkman op

'Tatutatu,' brult Rat terwijl hij de bocht om
en de Dahliastraat in vliegt. Blits zit diep in
de kraag van zijn jas, maar steekt zijn kopje boven de rand om
de wind op te snuiven.

'Nummer 7,' roept Rat. Hij remt met zijn schoenen voor
een groot vrijstaand huis. Zijn fiets slingert vervaarlijk. 'Hela,'
gilt Princess, die bij hem achterop zit. Rat geeft met een grijns
nog een ruk aan zijn stuur.

Fro remt veel kalmer, want in een van haar handen bengelt
een kooi. Ruud sluit de rij. Ze stallen hun fietsen.

'Stop Blits weg,' sist Fro tegen Rat, als Princess op de bel
drukt. 'Een hoop mensen zijn bang voor ratten.'

'Ratten zijn schatjes,' protesteert Rat, maar toch duwt hij
haastig zijn vriendje verder naar beneden, door de halsope-
ning van zijn jas zijn trui in. Als de deur opengaat, zegt hij be-
leefd: 'Dag mevrouw. Hebt u de dierenambulance gebeld
omdat er een roofvogel in uw achtertuin zit?'

Mevrouw Van de Sluys is oud en deftig. Ze friemelt aan één
stuk door aan een parelketting die om haar hals hangt en kijkt
weifelend naar het viertal voor haar neus: twee jongens die als
twee druppels water op elkaar lijken met hun steile piekhaar
en ondeugende bruine ogen, en twee meisjes die van elkaar
verschillen als dag en nacht: Fro in haar slobberige jack vol

vlekken en met een kapsel dat eruitziet of ze zeven weken in bed heeft doorgebracht, en de Turkse Princess die niet voor niets prinses wordt genoemd. Gülsem, zoals ze eigenlijk heet, ziet er zoals altijd uit als een plaatje. Ze heeft een strakke witte stretchbroek aan en daaroverheen zie je de geborduurde rand van een helderblauwe, korte jurk. De rest gaat schuil onder haar jas die is afgezet met glimmende lovertjes.

'Zijn jullie dan van de dierenambulance?' vraagt mevrouw Van de Sluys.

Princess schudt haar hoofd zodat haar oorbellen dansen en wijst op de kooi. 'De medewerkers van de dierenambulance moesten even een ander klusje opknappen, maar wij helpen altijd. Ze hebben ons gevraagd de vogel alvast te vangen.'

'O, gelukkig,' verzucht de mevrouw. 'Het is een arend of iets dergelijks, met een gemene snavel. Ik ben zó bang voor dat enge beest. Voor alle beesten, eigenlijk. Ze doen van die akelige, onverwachte dingen, en ze hebben klauwen en tanden en enge staarten!' Ze rilt.

Rat voelt stiekem aan de bult in zijn trui waar Blits zit. 'Waar is die vogel, mevrouw?' vraagt hij.

'Achter in de tuin, kom maar mee. Voeten vegen, heur, kinderen.'

Mevrouw Van de Sluys loodst haar vier redders door een brede gang met een rode loper en dan door een enorme glimmende keuken de tuin in. Angstig doet ze meteen achter hen de keukendeur weer dicht.

Toch wel een beetje gespannen kijken de vrienden de tuin rond. Het is een grote lap grond vol struikgewas dat ook in de winter groen en dichtbebladerd is. Op het grasveld hipt een mus.

'Pas op, daar heb je die arend,' giechelt Princess.

'Arenden komen niet eens voor in Nederland,' zegt Rat minachtend.

'Daar beweegt iets,' roept Ruud. Hij wijst naar een struik vlak bij de schutting. Laag bij de grond schudt een tak zodat de leerachtige bladeren ritselen.

Ze hoeven niks af te spreken. Ze vormen een rij en lopen rustig op de struik af.

'Ik zie iets wits,' zegt Princess.

'Misschien is het een plastic zak,' gniffelt Fro. 'Laat hem niet ontsnappen!'

'Een zeearend heeft een witte kop,' zegt Rat verbaasd. 'Zou het dan toch…'

Opeens schiet er een vogel onder de bladeren uit!

De vier vrienden springen verschrikt achteruit, maar slaan dan dubbel van het lachen.

De 'arend' kijkt paniekerig in het rond en dribbelt met driftige pasjes het bloembed in.

'Het is een meeuw,' proest Ruud.

'Een grote boze roofmeeuw,' schatert Rat.

'Een kokmeeuw,' zegt Princess, 'kijk maar, hij heeft een walkman op.' De anderen weten wat ze bedoelt. Kokmeeuwen hebben in de zomer een zwarte kop, maar na de herfstrui is die helemaal wit op twee zwarte vlekken bij hun oren na. Dit dier heeft zijn winterjas nog aan.

'Hij ziet er niet uit of hij iets mankeert,' zegt Rat, en loopt op de meeuw af.

De vogel fladdert en probeert weg te vliegen, en opeens is duidelijk wat er aan de hand is. Eén vleugel hangt op een rare manier naar beneden. Fro slaakt een kreet. 'Zijn vleugel is gebroken!'

'Stik,' vloekt Ruud.

Ze drijven de half fladderende, half rennende meeuw een hoek in. Zonder problemen pakt Rat hem op en trekt voorzichtig de gebroken vleugel opzij.

Fro zuigt haar adem naar binnen. 'Arm beest. Moet je kijken wat een grote wond.'

'Die krijgt een spuitje,' voorspelt Rat en de anderen knikken somber.

'Dan hoeft hij in ieder geval geen pijn meer te lijden,' zegt Princess. Ze houdt de kooi omhoog en Rat zet de meeuw erin.

Mevrouw Van de Sluys kijkt met grote angstige ogen naar de kooi als de kinderen naar de keukendeur lopen. 'Zit dat ding goed dicht?' roept ze.

Pas als Rat het haar drie keer heeft verzekerd, doet ze de deur open.

'Wat voor roofvogel is het?' vraagt ze bang.

'Een arend, precies wat u al dacht,' zegt Rat ernstig. 'Goed dat u gebeld hebt, mevrouw, hij is levensgevaarlijk!'

De anderen maken benauwde geluiden.

Mevrouw Van de Sluys loopt als een haas de gang in om hen snel met het gevangen monster de voordeur uit te werken. Fro loopt achter Rat. Opeens krijgt ze kippenvel. Langs Rats nek kronkelt de lange staart van Blits!

Vóór ze Rat kan waarschuwen, heeft mevrouw Van de Sluys zich bij de deur omgedraaid. Ze wordt lijkbleek. 'Wat is dat?'

stottert ze, met een bibberende vinger wijzend. Haar andere hand vliegt weer naar haar parelketting en plukt er nerveus aan.

'O, niks,' zegt Rat luchtig en hij legt gauw zijn hand over de rattenstaart. 'Touwtje van mijn capuchon.'

Maar Blits pikt het niet. Hij zit al te lang naar zijn zin in de donkere trui! Hij wurmt zich onder de hand van zijn baas vandaan. Triomfantelijk duikt hij op uit de jas en klautert naar Rats schouder.

Mevrouw Van de Sluys geeft een harde gil. Ze springt achteruit en trekt daarbij met een ruk haar parelketting kapot. De parels kletteren op de vloer. Ze stuiteren alle kanten op.

Drie volle tellen staan de kids verstijfd van ontzetting, dan maken ze dat ze wegkomen.

Pas twee straten verder durven ze te stoppen. Rat vist Blits van zijn schouder en spreekt hem streng toe: 'Weet je wel wat je gedaan hebt, dondersteen?'

Princess begint te giechelen. 'Het leek wel een film!'

'Die arme mevrouw Van de Sluys,' hikt Fro.

Dan proesten ze alle vier van het lachen. Maar even later zegt Princess toch zorgelijk: 'Als de ambulance hier maar geen last mee krijgt.'

'Over ambulance gesproken,' zegt Rat. Hij haalt zijn mobieltje tevoorschijn. 'We zitten hier vlak bij dierenarts Otten. Zouden we nou eerst met die meeuw helemaal naar de centrale moeten fietsen? We kunnen net zo goed meteen naar de dokter!'

In een kort gesprek met Francis legt hij uit wat er met de

meeuw aan de hand is.

'Ga maar met hem naar Leni Otten,' zegt ze. 'Ik zou Loek en Nanda wel willen sturen, maar die zijn op een aangereden poes af. Ik kan jullie moeilijk op de stoeprand laten wachten. Krijg je die meeuw op de fiets vervoerd?'

'Makkie,' zegt Rat. 'Tot straks.' Met een triomfantelijke grijns op zijn gezicht drukt hij het toestel uit. 'We mogen!' zegt hij. 'Loek en Nanda zijn voor een poes uitgerukt.'

Ze hoeven niet lang op hun beurt te wachten. Leni Otten is net klaar met haar laatste patiënt van het middagspreekuur. 'Dag jongens,' zegt ze met een blik op de kooi. 'Wat hebben jullie daar?'

'We helpen de dierenambulance,' legt Rat uit. 'Ze vroegen ons deze meeuw op te pikken uit de tuin van een mevrouw. Ze zouden hem daarna eigenlijk zelf overnemen, maar er kwam iets tussen. Dus nu mochten wij met hem hiernaartoe. Volgens mij is zijn vleugel gebroken.'

'Ik zal eens naar hem kijken,' zegt Leni. 'Kom maar binnen.'

Ze zwaait de deur naar de praktijkruimte open. 'Voeten vegen, heur, kinderen,' giechelt Fro, mevrouw Van de Sluys na-apend. Rat zet de kooi op de behandeltafel.

Leni maakt het deurtje open en haalt de meeuw er voorzichtig uit. Het dier probeert haar met zijn spitse, vuurrode snavel te pikken. 'Pik jij maar,' lacht ze, 'ik voel er toch niks van.'

Als ze de kapotte vleugel opzij trekt, schrikt ze. 'O, jongens!' Ze schudt spijtig haar hoofd. 'Dat komt nooit meer goed. Zelfs al zouden die lelijke wonden helen en de breuk genezen, dan nog wordt de vleugel nooit meer sterk genoeg om hem te dragen.' Ze kijkt haar bezoekers hulpeloos aan. 'Ik moet hem laten inslapen.'

Princess slikt. 'Dat dachten we al,' zegt ze schor. 'Doe maar, als dat het beste voor hem is.'

Leni vult een spuit uit een flesje met rode vloeistof. 'Dit is een overdosis narcosemiddel,' zegt ze. 'Hij voelt er niks van. Willen jullie liever even in de wachtkamer wachten?'

Fro schudt haar hoofd. 'Het minste wat we voor hem kunnen doen, is hem niet alleen laten,' zegt ze. Ze probeert haar stem gewoon te laten klinken, maar ze voelt haar knieën trillen.

Leni steekt de naald in de buik van de vogel. Ze drukt de zuiger van de spuit omlaag. Dan zet ze de meeuw terug in de kooi. Het is doodstil in de praktijkruimte. Buiten op straat klinken lachende kinderstemmen. Binnen kijken Ruud, Rat, Princess en Fro gespannen naar de arme meeuw.

Eerst gebeurt er niets. Hij staat op zijn poten en kijkt helder rond. Stiekem hoopt Fro dat hij zó sterk is dat hij het spuitje overleeft. Ze fantaseert dat zijn vleugel op een wonderlijke manier helemaal geneest. In gedachten ziet ze hem al vliegen, hoog in de blauwe lucht. De zon schittert op zijn witte veren...

Opeens trilt de meeuw. Het duurt secondenlang, dan valt hij neer en begint te stuiptrekken. Zijn poten krassen over de krant, zijn lijf schudt en schokt. Fro slaat een hand voor haar mond en Ruud bijt op zijn lip. Rat wendt zich af en knuffelt Blits.

'Dit is akelig om te zien,' zegt Leni zacht. 'Sorry jongens, meestal slapen de dieren heel rustig in, maar soms gaan hun spieren vreselijk tekeer. Het is nu net of hij veel pijn heeft, maar dat is niet waar: hij is bewusteloos.'

Fro voelt de tranen in haar ogen springen. Ze haalt haar neus op om te voorkomen dat ze over haar wangen rollen. Ze wil niet huilen. Ze wil dit niet zien, maar ze wil ook niet weglopen. Ruud slaat een arm om haar heen.

Princess kijkt met een strak gezicht naar de schokkende meeuw. Ze ziet hoe het schokken langzaam minder wordt, nog één zwakke beweging... 'Hij is dood,' zucht ze.

Een zak vol dieren

Princess heeft zich goed gehouden toen de
meeuw doodging. Nu zit ze in het magazijn-
tje naast het kantoor van de dierenambulance en huilt. Ze
kan niet meer stoppen. Vlak bij haar zit de ooievaar in een
zwanenzak, een ruime canvas zak die om zijn hals met een
riempje is dichtgemaakt zodat hij zich er niet uit kan wurmen.
Hij moet hier wachten tot Hans van de vogelopvang hem
komt ophalen.

Opeens ziet Princess door een mist van tranen de zak heftig bewegen. Hoe kan dat? De ooievaar zit doodstil! Ze vraagt
zich verbaasd af of Loek en Nanda misschien nog meer vogels
in de zak hebben gedaan, die met Hans mee moeten. 'Dat is
idioot,' zegt ze hardop, maar tegelijk klinkt er een scheurend
geluid en stoot er een scherpe klauw door het canvas.

Princess springt van haar kruk. Versteend kijkt ze toe hoe
de scheur groter wordt. Een enorme sperwer wringt zich naar
buiten! Zijn ogen kijken haar fel aan en zijn snavel druipt van
het bloed. Princess rent naar de deur, maar met een hoog en
doordringend *wiep wiep wiep!* komt de roofvogel achter haar
aan en stort zich op haar.

Dat is niet de roep van een sperwer, denkt Princess. Dat is
het gillen van cavia's! En dan zit ze met een ruk rechtop in
haar bed.

'Cavia's?' hijgt ze.

Het gillen van haar cavia's, buiten in hun hok, is echt! Princess vliegt naar haar raam en trekt het gordijn opzij. Twee schimmen, onherkenbaar in de donkere nacht, morrelen aan het caviahok. Zonder nadenken smijt ze haar raam open en gilt: 'Blijf van mijn beesten af!'

De dieven komen met een ruk overeind. Ze vloeken, grijpen de jutezak die achter hen staat, rennen naar de schutting en klauteren eroverheen. Princess ziet in het licht van de lantaarnpaal aan de overkant van de straat nog net blond stekeltjeshaar glanzen.

Opeens begint ze over haar hele lijf te trillen. Ze rent naar de slaapkamer van haar ouders en roept: 'Pap, mam! Er waren dieven! Ze probeerden Alladin en Yasmine te stelen!'

Haar vader en moeder zijn meteen wakker. 'Wat? Waar?' zegt haar vader. 'Waar zijn ze nu?'

'Weg over de schutting,' jammert Princess. 'Maar misschien zijn ze nog in de buurt.'

Haar vader grijpt de telefoon en toetst 112. Natuurlijk! Princess kan zichzelf wel voor haar hoofd slaan. Als ze beter had nagedacht, had ze zich koest gehouden en de politie gebeld. Die had de dierendieven in hun kraag kunnen pakken. Nu zijn ze foetsie. Maar... Ze slikt. Nee, stel je voor dat de politie te laat was gekomen. Dan waren die schurken ook verdwenen, maar dan met haar cavia's!

'En hoe is het met Sultan?' vraagt haar moeder.

Princess schrikt. Haar konijn! Ze springt met drie treden tegelijk de trap af en draait de keukendeur van het slot. Vóór ze hem open heeft, ziet ze het, ook al is het donker in de tuin:

het deurtje van het hok zwaait heen en weer in de wind... 'Sultan!' schreeuwt ze, terwijl ze naar het hok vliegt. Het is leeg. Princess barst in tranen uit. De werkelijkheid is nog erger dan die rotdroom waaruit ze wakker schrok!

'Gülsem, het is koud, trek iets over je pyjama aan,' klinkt de stem van haar moeder achter haar.

Tegelijk gaat de voordeurbel. Het is de politie. Even later staat Princess met twee agenten in de tuin, in het eerste grijze licht van de ochtend. Ze vertelt wat ze gehoord en gezien heeft.

'Jammer genoeg hebben ongeveer alle knullen tegenwoordig stekeltjeshaar,' verzucht een van de agenten die alles in een boekje schrijft. 'Heb je gezien wat ze aan hadden?'

Princess aarzelt. 'Daar... daar heb ik niet zo op gelet,' zegt ze. 'Ik ben me te pletter geschrokken.'

'Hoe groot waren ze ongeveer?' vraagt de andere agent. 'Zo groot als ik?'

Princess schudt haar hoofd. 'Iets langer,' zegt ze. 'Die met dat stekeltjeshaar was volgens mij de langste. En...' Ze denkt na. Het lijkt of ze naar een film in haar hoofd kijkt die nu wat scherper wordt. Ja! Haastig zegt ze: 'En hij had witte sport-schoenen aan, want die zag ik afsteken tegen het donkere hout van de schutting.'

'Aha, goed zo,' zegt de agent. Hij knielt neer en kijkt of hij voetafdrukken ziet.

'Hela,' zegt hij opeens verbaasd. Hij wijst naar de veranda die over de lengte van de serre loopt. 'Daaronder beweegt iets, iets wits!'

Princess ligt meteen op haar buik. 'Sultan,' juicht ze. 'Je bent er nog!'

Ze maakt lokgeluidjes en steekt haar hand uit, maar Sultan heeft de schrik goed te pakken. Hij maakt zich klein in het uiterste hoekje van zijn schuilplaats. Princess komt overeind. 'Dat lukt straks wel met wat voer,' zegt ze.

'Nou, dat is goed afgelopen voor jou,' zegt de agent. 'Helaas hebben we vannacht al meer meldingen gehad en zijn er op verschillende plekken weer beesten verdwenen.'

'Ze hadden een volle zak bij zich,' herinnert Princess zich. Er loopt een rilling over haar rug. 'Daar zaten die arme dieren vast in! Wat gaan ze daarmee doen?'

'Als we dat eens wisten,' bromt de agent.

Nog voor het ontbijt heeft Princess het bericht van de bijna-diefstal ge-sms't aan haar vrienden. Ze wachten haar al op voor school.

'Wat een schorem,' roept Rat van ver.

'Zijn je beestjes gewond?' vraagt Fro bezorgd.

Princess schudt haar hoofd. 'Ik denk eerder dat die rovers gewond zijn, of in ieder geval een van de twee. Ik vond in Sultans hok een veeg bloed op het hout, en hij heeft zelf geen schrammetje, dus ik denk dat hij die dieven flink gebeten of gekrabd heeft.'

'Goed zo,' zegt Rat grimmig.

De bel gaat, en de uren daarna worden ze gedwongen zich bezig te houden met rekenen, taal en aardrijkskunde. Fro, die naast Princess in groep 7a over haar werk gebogen zit, zucht. Nog één jaar, drie maanden, twee weken en drie dagen, dan mag ze naar de brugklas! Dan gaat ze net als haar broer naar de groene afdeling van het vmbo. Daar krijg je niet alleen Engels, wiskunde en scheikunde, zoals op andere scholen, maar ook bloemschikken, plantenteelt en... dierverzorging!

Vorig jaar, toen ze de open dag van de Groenschool bezocht, was ze niet weg te slaan bij het kippenhok, de konijnenhokken en de grote terraria vol slangen en leguanen. En ze kon haar ogen niet geloven toen ze op het schoolterrein twee pony's zag grazen! Daarna liep ze per ongeluk de centrale van de dierenambulance binnen, die in het achterste gedeelte van het schoolgebouw gevestigd bleek te zijn. Sinds die ontdekking is ze daar ongeveer elk vrij uurtje te vinden, samen met haar beste vriendin Princess en hun vrienden Rat en Ruud uit groep 7b, die ze al kenden van Kids for Animals.

Eindelijk komt er een einde aan de schooldag. Rat gaat Blits ophalen en Fro en Princess moeten thuis hun neus laten zien, dus ze treffen elkaar pas tegen kwart over vier bij de tweeling thuis om naar de dierenambulance te fietsen. Blits klautert over Rats rug.

'Hoi Blitsje,' zegt Fro, en geeft hem een kus op zijn kopje. Jaloers zegt ze: 'Kon ik Roet maar zo makkelijk meenemen. Jammer genoeg zou die elk gewond dier de stuipen op het lijf jagen.'

Roet is haar hond, een vrolijk allegaartje van rassen met een pikzwarte kop. 'Het lijkt de schoorsteenveger wel,' had haar moeder gegrinnikt toen ze hem als pup kregen. Toen was de naam Roet zo geboren.

'Neem ook een rat,' oppert Rat.

'Ja, of een Ruud,' zegt Ruud. Hij buigt zich voorover naar Fro. 'Die worden ook best graag op hun kopje gekust.'

Fro krijgt een hoofd als een boei. Ze geeft Ruud een harde duw maar terwijl hij valt, trekt hij haar mee en even later spartelen ze allebei op de grond. Fro worstelt zich boven op Ruud. Ze begint hem ongenadig te kietelen.

'Oei! Oei! Stop! Genade!' roept hij.

'Zul je nooit meer van die stomme dingen zeggen?' zegt Fro dreigend.

'Nee! Nee! Genade!' piept Ruud. Hij kronkelt en schopt.

Fro laat hem los. 'Voor deze keer dan,' zegt ze. 'De volgende keer kietel ik je morsdood!'

Het is maar tien minuten fietsen naar de centrale. Wanneer ze hun fiets tegen de muur zetten, zien ze dat de ambulance weg is. 'Jammer,' zegt Princess teleurgesteld. 'Als ze nou maar geen uren wegblijven.'

Ze lopen naar de centrale die achter in de gang is. De deur van het kantoor staat open. 'Hallo, daar zijn we weer,' brult Rat.

'Moet ik nou blij zijn?' snauwt een stem in het kantoor.

Een kat in het nauw

De vier vrienden bevriezen op de drempel.
Ze kijken elkaar verbluft aan. Rat klopt op de
open deur. 'Eh… Francis?' zegt hij aarzelend.

'Kwallenkop! Plof maar!' roept de stem boos.

Ze weten niet hoe ze het hebben. Rat stapt kwaad naar binnen. 'Waarom…' begint hij. Hij wordt onderbroken door ge-
proest.

Francis zit stikkend van het lachen achter haar bureau. Te-
genover haar zit een jongen die ze niet kennen. Hij wijst vrolijk naar de andere kant van het kantoor. 'Je moet niet kwaad
op óns zijn,' grinnikt hij. 'Het stuk chagrijn dat je hoort, zit
daar.'

Rat kijkt om. Op de grote tafel staat een kooi met een zil-
vergrijze vogel erin. Zijn staart is vuurrood en hij dribbelt driftig over zijn stok heen en weer. 'Kwallenkop! Plof maar!'
roept het beest weer. 'Moet ik nou blij zijn?'

'Een papegaai,' roept Rat verbaasd.

'Een Grijze Roodstaartpapegaai,' hikt Francis. 'Saskia en
Fred hebben hem uit een boom gehaald. Hoe hij daarin gekomen was, is een raadsel, want zijn slagpennen zijn gekort-
wiekt.'

Princess buigt zich over de kooi. 'Hé… kun jij praten?' zegt
ze op een babytoontje tegen de papegaai.

'Ben je doof of zo?' snauwt het beest.

Ze brullen allemaal van het lachen.

'Is iemand hem kwijt?' vraagt Fro aan Francis.

'Vast wel,' zegt die. 'Maar er heeft nog niemand gebeld. Voorlopig moet hij opgevangen worden.'

Ruud kijkt naar de onbekende jongen. 'Ben jij van de vogel-opvang?' vraagt hij.

'Nee, ik ben Mart,' zegt de jongen. 'Ik ben een nieuwe vrij-williger. Maar Francis kon de vogelopvang niet bereiken, dus ik heb aangeboden dit schatje voorlopig mee naar huis te nemen. Da's ook handig dichtbij als de eigenaar zich meldt.'

'Mart wordt de bijrijder van Huub, op woensdag- en don-derdagmiddag,' zegt Francis.

'Moet ik nou blij zijn?' gilt de papegaai.

'Hou je snavel, stom beest. Mart, dit zijn Fro, Ruud, Prin-cess, Rat en Blits, zeg maar onze mascottes.'

'Hoi,' zegt Mart.

De vier schudden hem de hand.

'En waar hangen Fred en Saskia uit?' vraagt Ruud.

'Je zult het niet geloven,' grinnikt Francis. 'Die zijn een stinkdier ophalen!'

'Een wát?' zegt Rat.

'Ben je doof of zo?' krijst de papegaai. 'Kwallenkop! Plof maar!'

'Val van je stok, jij,' bromt Rat.

De papegaai wipt opgewonden op en neer. 'Moet ik nou blij zijn? Plof maar!'

'Aan je oren mankeert niks,' zegt Francis lachend, met luide stem om boven het geschreeuw van de papegaai uit te komen. 'Dat stinkdier zat in de kippenren van een boer in de buurt.' Ze zwijgt even als ze buiten het geluid van een moter hoort. 'Daar komen ze aan!'

'Alarm!' roept Rat als Saskia even later binnenkomt met een bench vol zwart-witte vacht. Hij zoekt dekking achter een stoel.

Saskia grijnst breed. 'Ja, voortaan heb ik een geheim wapen, jochie. Doe wat ik je zeg, of ik spriets je onder de smurrie! Een stinkdier haalt drie meter, als je dat maar weet.'

'Ze bluft,' zegt Fred die achter haar aan komt. 'Onze kippendief kan niet meer sprietsen. Zijn klieren zijn weggehaald.'

'Hij stinkt anders behoorlijk,' zegt Ruud, die boven de bench hangt. 'Hij ruikt naar fret!'

'O, dankjewel,' zegt Fred.

'Fret met een "t" natuurlijk,' grinnikt Ruud. 'Ik vind het een beetje dezelfde geur, alleen veel sterker.'

'Wat mankeert hij?' vraagt Fro.

'Niks,' zegt Saskia. 'Hij moet ergens uitgebroken zijn. Stinkdieren komen niet in Nederland voor.'

'Nee, in Amerika,' weet Ruud.

'Het is een bolle domkop,' zegt Fred. 'Hij lag te slapen in dat kippenhok. Ik zette de bench voor zijn neus, porde hem wakker en hij liep er zó in! Gelukkig maar, want ik heb ontzag voor zijn tanden.'

'Moet ik nou blij zijn?' krijst de papegaai, en hij laat een lange fluittoon horen. 'Voeten vegen, viezerik!'

'Heb je hem ook weer,' zegt Fred zuur. 'Nog even en ik draai gehakt van 'm!'

'We moeten maar wat rondbellen of iemand dat stinkdier mist,' grinnikt Francis.

'En ondertussen?' vraagt Saskia.

'Hm… Ik zou niet weten waar we een stinkdier kunnen plaatsen. Kan iemand van ons hem zolang opvangen?'

'Het voordeel is dat-ie zijn bek houdt,' zegt Fred en hij kijkt vuil naar de papegaai.

De papegaai kijkt vuil terug en schreeuwt: 'Vind je jezelf stoer? Kwallenkop! Plof maar!'

'Ik neem hem wel mee,' zegt Mart. 'Gaaf!'

De anderen draaien zich verbaasd naar hem toe. 'Ook al?' vraagt Fred. 'Je komt hier voor het eerst binnen en loopt met twee beesten de deur uit. Dat noem ik pas fanatiek. Heb je verstand van stinkdieren?'

'Ofwel skunks,' zegt Mart. 'Ja. Mijn oom had vroeger een soort dierentuintje en ik hielp hem vaak.

'Klasse,' zegt Fred. 'Heb je er ruimte voor?'

'Plek zat,' vertelt Mart. 'Een hele loods! En een hok heb ik ook nog wel.'

'Vol kippetjes?' informeert Rat met een onschuldig gezicht.

'Kwallenkop!' zegt Mart met een grijns. 'Plof maar!'

Princess wil juist vertellen over haar belevenissen van vannacht, als de telefoon gaat. Francis neemt op. 'Dierenambulance, met Francis.'

Saskia werkt snel haar ritstaat bij. Ze vult in waar ze het stinkdier gevonden hebben, wie de melder was, hoeveel kilometer ze gereden hebben en waar de vondeling voorlopig wordt ondergebracht.

Fred zet de bench met het beest voor Marts neus en geeft hem een klap op zijn schouder. 'Succes ermee! Als de eigenaar gevonden is, krijg je een seintje. Meldt hij zich niet binnen twee weken, dan mag je hem houden.'

'Hoera,' grinnikt Mart.

Francis legt de telefoon neer. 'Dat was de politie. Ze vragen om onze assistentie bij het vangen van een kat... Dat beest zit in een glascontainer!'

'Wát!' roepen Fred, Rat en Fro tegelijk uit.

'Hoe komt-ie daarin?' vraagt Princess.

'Hoe komt-ie daaruit!' zegt Saskia. 'De politie kan beter de brandweer bellen.'

'Die is ook onderweg,' antwoordt Francis. 'Maar ze willen ons erbij om dat katje op te pakken: het is helemaal in paniek en blaast en krabt als ze hun hand in de container steken.'

'Een kat in het nauw...' zegt Fred. 'We zijn al onderweg.'

'Het is bij het winkelcentrum De Bogen,' zegt Francis, 'achter de supermarkt.'

Saskia clipt haar pen aan de klapper met ritstaten en haast zich achter Fred aan, op de voet gevolgd door hun 'mascottes'.

Waar politie en brandweer zijn, staat natuurlijk een menigte mensen. Stapvoets manoeuvreert Fred de bus van de dierenambulance in de richting van de glascontainer. Ruud, Fro, Rat en Princess, die bijna tegelijk arriveren, wringen zich tussen de mensen door tot ze met hun neus vooraan staan.

'We zullen om te beginnen bij een van de gaten de rubberen flap verwijderen,' horen ze een van de brandweerlui zeggen. Het is een vrouw met een gezicht vol sproeten.

'Hoe krijgen we die kat zover dat hij door dat gat naar buiten komt?' vraagt Fred zich af.

'En zonder dat hij hem meteen smeert,' zegt Saskia. Ze is gewapend met een vangnet, een bench, en een paar leren handschoenen. 'Wie weet hoe hij zichzelf heeft verwond in die rotbak!'

De brandweervrouw knipt de rubberen flap los. Fred gaat er dichtbij staan, voor het geval de kat onmiddellijk naar het daglicht springt. Maar dat is niet zo. De brandweervrouw schijnt met een zaklamp naar binnen. De container is behoorlijk vol. Als Fred kijkt, ziet hij een doodsbang katje dat zich achter een stapel flessen en potten in een hoek drukt en blaast tegen het felle licht.

'Arm beest,' bromt hij.

'En nu?' vraagt een van de agenten.

'We hebben genoeg materiaal in de wagen,' zegt de collega van de brandweervrouw. Hij wijst achter zich naar de vuurrode wagen. 'Als het moet, knippen we die hele container open.'

Fred schudt zijn hoofd. 'Dat werkt niet. Zonde van die bak én van dat katje. Als je een hydraulische schaar in dat ijzer zet, gaat hij dood van schrik.'

Saskia heeft de gaten geteld waardoor je glas in de container kunt gooien. Het zijn er zes. 'Hebben jullie handschoenen in die wagen?' vraagt ze aan de brandweerman. 'Ze moeten behoorlijk dik zijn. Als we er een stuk of vijf zouden hebben, weet ik wel iets.'

'Wat wil je doen?' vraagt Fred.

37

'We jagen hem naar dat open gat door onze handen in de andere gaten te steken,' zegt Saskia langzaam. 'Hij zal de enige vluchtweg kiezen die hij ziet!'

'En daar vang ik hem in mijn net,' knikt Fred. 'Het is het proberen waard.'

'Die handschoenen zijn geen punt,' zegt de brandweerman. 'En we zijn met ons zessen, dus dat moet lukken.'

'Hm,' kucht de ene agent. 'Sorry, maar zo'n held ben ik niet. Die kat is zo wild als een poema.'

'En ik ben allergisch voor katten,' stottert de andere agent.

'Dan moet ik wat extra personeel optrommelen,' lacht Saskia. Ze draait zich om en roept: 'Hé, kids! Kom eens even assisteren!'

Ruud, Princess, Fro en Rat kijken elkaar glunderend aan. Als ze bij de container komen, legt Saskia hen uit wat ze van plan zijn. De brandweerman deelt stevige handschoenen uit.

'Nu we toch met genoeg mensen zijn, heb ik jou liever stand-by bij dit open gat, Sas,' zegt Fred. 'Hou het net in de aanslag. De anderen kunnen ieder één gat voor hun rekening nemen.'

Als ze allemaal op hun plaats staan, zegt Saskia: 'Oké, ik tel tot drie. Eén... twee... drie!'

Precies tegelijk steken alle kattenjagers hun hand in een gat. Iedereen beweegt zijn hand driftig op en neer. De kat krijst! Flessen rollen luid rinkelend door de bak en bonzen tegen de ijzeren wanden.

'Oei oei, jongen, kalm maar,' sust Fro.

'Ik zie hem,' zegt Fred gespannen. 'Ja! Nee...'

De dol geworden kat slaat zijn klauwen in de handschoen van de brandweervrouw. Ze reageert bliksemsnel. Zodra ze het dier voelt, grijpt ze hem beet en slingert hem in de richting van het open gat. Hij komt vlak voor de opening terecht op een berg potten die onder zijn gewicht begint te schuiven. Een ogenblik graait hij hulpeloos naar houvast... Fred grijpt zijn kans. Hij steekt zijn gehandschoende hand uit naar het dier en heeft hem te pakken!

'Hou hem vast,' roept Saskia.

Ze graait de bench van de grond. In één beweging trekt Fred de spartelende kat uit de glascontainer en stopt hem in de bench. Saskia moet vechten om het deurtje dicht te krijgen.

Rat, Fro, Ruud en Princess springen juichend op de bench af. Blits verdwijnt met een verontruste piep in Rats jas. Van katten moet hij niks hebben!

Fro gluurt in de bench. 'Wat een schatje!'

'Noem het maar schattig,' lacht Saskia. 'Zonder handschoen had je nou een streepjescode op je vel.'

Fro maakt sussende geluidjes en zegt tegen de blazende kat: 'Ben je zo geschrokken? Hoe ben je in die bak terechtgekomen? Maak je maar geen zorgen, hoor. Alles is oké nou.'

Fred probeert te ontdekken of de kat gewond is, maar hij kan het niet goed zien. 'Ik haal hem er straks uit,' zegt hij. 'Laat hem eerst maar even bijkomen.'

De brandweerlui nemen afscheid, maar een van de agenten zegt: 'We hebben orders extra aandacht te geven aan de huisdieren die we tegenkomen. We willen nog even kijken of deze kat misschien op de lijst van gestolen dieren staat.'

'De dierendieven,' roept Princess. 'Ze waren vannacht bij mij!'

Verontwaardigd vertelt ze het hele verhaal. Intussen kalmeert de kat in de bench. Hij ligt nu rustig maar waakzaam te kijken.

Als Princess is uitverteld, zegt Fred: 'Je beestjes boffen dat ze nog bij hun vrouwtje zijn. Maar goed dat je zulke scherpe oren hebt! We zullen eens zien of onze vriend hier ook zo boft; misschien is hij gechipt.'

Hij loopt naar de bus om het apparaat te halen waarmee hij chips kan aflezen, een witte platte doos met een venstertje.

'Onze dierenarts heeft er ook zo een,' zegt Fro. 'Wij hebben Roet laten chippen.' Ze weet nog hoe de dierenarts met een spuitje een gecodeerde chip zo groot als een rijstkorrel onder de huid van Roet spoot. Met het afleesapparaat controleerde hij de chip voor en na het spuiten. Hij liet Fro zien hoe de code op het venstertje zichtbaar werd zodra hij het apparaat in de buurt van de chip bracht. 'Het afleesapparaat stuurt een signaal en de chip antwoordt,' had hij uitgelegd. 'Als je Roet ooit kwijtraakt, kan de vinder jullie adres opvragen, want dat wordt bij deze code geregistreerd.'

Voor de zekerheid trekt Fred zijn handschoenen weer aan om de kat uit de bench te pakken, maar dat is niet nodig. Het dier laat zich nu gemakkelijk optillen en miauwt zielig.

'O...' zegt Princess, en kroelt hem onder zijn kinnetje.

'Ik zei het toch: een schatje!' zegt Fro.

'Er zit bloed aan de krant,' meldt Rat.

'Hij is gewond,' zegt Saskia. Ze onderzoekt de kat voorzichtig terwijl Fred hem stevig vasthoudt. 'Kijk, wat een lelijke snee – hier, en hier. Dat moet gehecht worden. En, *by the way*: deze kat is een poes. Jullie moeten dus mevrouw tegen haar zeggen.'

'Is ze gechipt?' vraagt Fred.

Saskia beweegt het afleesapparaat over het poezenlijf. 'Bingo,' roept ze als ze bij de nek is.

'Welke code is het?' vraagt de agent die een lijst raadpleegt. Saskia leest hem op.

'Dat is sterk,' zegt de agent.

'Wat?' vraagt Fred.

'Dit is een gestolen kat! De code staat op mijn lijst. Is hij ontsnapt? Of op straat geschopt?'

'In de glascontainer gepropt,' gromt Saskia. 'Dierenbeulen!'

'We hebben tot nu toe drie gestolen dieren teruggevonden...' zegt de agent. 'Allemaal gechipt.'

'Gemerkt dus...' zegt Fred langzaam. Hij kijkt naar het afleesapparaat in Saskia's handen. 'Zouden die dieven ook zo'n ding hebben? En zouden ze gemerkte dieren niet kunnen gebruiken?'

'Wat doen ze er dan mee?' vraagt Ruud.

'Het is me een raadsel,' zegt Fred. 'Blijkbaar worden ze verkocht; als ze gechipt zijn is dat te link. Maar ik las in de krant dat het om heel gewone dieren gaat, niet om bijzondere rassen of zo. Dus wat leveren die op?'

Saskia haalt haar schouders op. 'Ik zou niet zulke risico's nemen,' zegt ze. 'Als ik dieren wou verkopen, begon ik wel een winkel.'

'Maar er zijn een paar lui die hun nek wél wagen voor een

paar stompzinnige cavia's,' peinst de agent. Princess zendt hem de meest dodelijke blik die ze in voorraad heeft. De agent heeft het niet in de gaten en vervolgt: 'De vraag blijft: waarom?'

Mart is een held!

Als Fro, Rat, Ruud en Princess de volgende middag de achteringang van de Groenschool binnenlopen, is de les dierverzorging net begonnen. De brugklassers drommen om de terraria die daar staan. Een paar leerlingen zijn bezig twee groene leguanen van vers voer te voorzien. Een van hen spuit de beesten nat met een plantenspuit. Princess moet lachen als ze ziet hoe de leguanen met dichte ogen en gestrekte nek genieten van hun douche. Ze klauteren over elkaar heen om zo veel mogelijk water op te vangen.

Een meisje loopt rond met een rattenslang om haar nek. 'Hé, kom je hem voeren,' roept ze Rat toe als ze Blits op zijn schouder ziet zitten. Blits schiet met een vaart Rats trui in.

'Nog één zo'n geintje en ik zal die slang om je nek eens lekker aansnoeren,' zegt Rat dreigend.

'Ha, de vierkoppige bende is er weer,' zegt Francis, als ze het kantoor aan het eind van de gang binnenstappen. 'Hoe maken jullie het?'

'Dat zeggen we niet, want dan ga jij het namaken,' zegt Rat pesterig. 'Oei! Oei!' Dat laatste is tegen Blits die zich met zijn vlijmscherpe nageltjes langs de rug van zijn baasje naar beneden laat zakken. De slimme rat heeft koekkruimels ontdekt op tafel en gaat zichzelf trakteren.

Op de tafel staat ook een kooi waarin een zwart haantje met glanzend verenpak verontwaardigd zit te murmelen.

'Waar komt die vandaan?' vraagt Princess.

'Die terroriseerde al weken de hele buurt bij de Van Westenkade, maar ze kregen hem niet te pakken,' zegt Huub. Hij zit onderuitgezakt in een stoel. 'Wij wel. Jammer dat jullie de hanenjacht gemist hebben, jongens!'

'Die puistenkoppen van de school wilden hem aan hun python voeren!' Mart kijkt verontwaardigd.

'Dat was maar een geintje,' lacht Huub. 'Maar haantjes zijn nu eenmaal nergens gewild. Er zijn er veel te veel. Ik kan hem naar de vogelopvang brengen, maar daar voeren ze hem na een tijdje aan de roofvogels omdat ze hem toch niet kwijt kunnen aan liefhebbers.'

'Mooie opvang,' moppert Mart.

'Hij gaat logeren bij Mart,' zegt Francis.

'Ga je een dierentuin beginnen?' vraagt Rat grijnzend. 'Gisteren een papegaai en een stinkdier, vandaag een haan...'

'Ik heb een hoop vrienden,' vertelt Mart. 'Ik raak ze heus wel kwijt!'

'Hoe is het met de glasbakpoes van gisteren?' vraagt Fro.

'Die is terug bij haar baasjes,' zegt Francis. 'Fred en Saskia hebben haar eerst laten hechten en toen thuis afgeleverd.'

'Haar baasjes knuffelden haar dood,' vertelt Huub. Met een treurig gezicht vervolgt hij: 'En daarna vroegen ze ons een kadaverrit te doen.'

'Kwallenkop!' roept Francis. Ze gooit Huub een gum naar zijn hoofd.

'Plof maar!' proesten Fro en Princess precies tegelijk.

Als ze uitgegiebeld zijn, vraagt Mart: 'Wat is een kadaverrit?'

'Een kadaver is een dood dier,' legt Francis uit, terwijl ze een dreigende blik op Huub werpt, die nog steeds zit te grinniken. 'De dierenambulance haalt niet alleen gewonde of zwervende dieren op, maar ook dode. Die brengen we naar een speciaal gebouwtje op het gemeentelijk milieustation. Van daaruit gaan ze door naar een verbrandingsoven.'

'O, kijk Blits eens,' roept Fro vertederd. Ze wijst naar het ratje dat parmantig rechtop op tafel zit, een stukje koek tussen zijn voorpootjes. Hij draait het snel om en om terwijl hij er gretig aan knaagt.

Mart steekt zijn hand naar het ratje uit. 'Wat een leuk beestje, ik...'

Net op tijd trekt hij zijn vingers terug! Blits' kaken klikken op elkaar.

'Blits,' roept Rat boos. Hij pakt de rat in zijn nekvel en schudt hem heen en weer. 'Wat mankeer jij, gek?' Hij kijkt beteuterd de kring rond. 'Daar snap ik niks van. Zoiets doet hij nooit! Sorry, Mart.'

'Het is nooit verstandig om tussen een dier en zijn eten te komen,' zegt Huub. 'Dat zou jij toch moeten weten, Mart. Je hebt je oom toch zo vaak geholpen?'

Mart krijgt een kleur en begint te stotteren, maar dan gaat de telefoon.

'Dierenambulance, met Francis.'

Er klinkt een stortvloed van opgewonden woorden aan de andere kant van de lijn. 'Een hond, zegt u?' onderbreekt Francis. 'Waar? Hm-m.' Haar pen krabbelt over het kladblok.

'Mag ik uw naam nog een keer, en uw mobiele nummer? Kunt u daar nog even blijven? Wij komen er meteen aan!'

Huub en Mart springen overeind. Francis kijkt hen gespannen aan. 'De beller zag een hond in de rivier onder aan de stuw bij...' Ze kijkt op haar aantekeningen. 'Een eindje stroomopwaarts van de Nelson Mandelabrug. Het beest vocht voor zijn leven, want het kolkende water trok hem steeds onder. Opeens werd hij uitgespuugd door de stroom en dreef naar een soort eilandje in het midden van de rivier, ongeveer vier meter van de oever. Daar ligt hij nu, uitgeput, en zo te zien heeft hij een grote wond aan zijn kop.'

'Alle donders,' zegt Huub grimmig. 'Vraag de brandweer maar vast om assistentie, Francis. Zeg hun dat ze met een boot komen. Wij zijn weg!'

Fro, Rat, Princess en Ruud fietsen zo hard ze kunnen. De dierenambulance is hen vooruit, maar bij een reeks stoplichten halen ze hem weer in.

'Wat stom dat hij niet met sirenes mag rijden,' zegt Princess boos. 'Zo komen ze te laat!'

De vier slaan af en racen over een weggetje binnendoor waar alleen fietsers mogen komen. Als ze bij de Nelson Mandelabrug aankomen, zien ze de felgekleurde bus juist van de weg af hobbelen, het onverharde voetpad langs de rivier op. Ze komen allemaal tegelijk bij de stuw aan.

Er staat een mevrouw met een aangelijnde hond op hen te wachten. Ze gebaart naar een eilandje midden in het water. Het is maar een paar vierkante meter groot en er groeien wat riet en een jonge wilg op. De hond is duidelijk te zien: een

46

hoopje doornatte, goudgele vacht. Zijn achterlijf deint in het langsbruisende water, tussen wat zwerfvuil dat dansend op de korte felle golfjes tegen het eilandje botst.

'Hij beweegt niet meer,' roept de mevrouw boven het lawaai van de stuw uit. 'Eerst nog wel, maar nu lijkt hij bewusteloos. En het water sleurt hem steeds verder van het eilandje!'

'Is het uw hond?' vraagt Huub. 'Of kent u hem?'

De mevrouw schudt haar hoofd.

'We hebben de brandweer ingeseind,' zegt Huub. 'Zonder bootje kunnen we niets doen.'

Ze staren allemaal machteloos naar de arme hond.

'Dat is te gek,' zegt Mart knarsetandend. 'Als we niet vlug zijn, spoelt hij weg!'

'We kunnen ons leven niet wagen,' zegt Huub. 'De stroom is hier snel en sterk. Bij een stuw is het altijd hartstikke gevaarlijk. Die draaikolken daar houden je gewoon kopje-onder. Je zult niet de eerste zijn die er verdrinkt!'

Opeens schuift de hond een stuk van het eilandje af. De stroom duwt hem opzij, de wilgentakken in. Als hij losschiet bij de volgende grote golf, zal hij verdrinken!

Princess bijt zo hard op haar lip dat ze bloed proeft. 'Waar blijft die snertbrandweer?' jammert ze.

Mart schopt zwijgend zijn schoenen uit.

'Wat ga je doen?' vraagt Huub.

'Het water in,' zegt Mart kortaf. 'We kunnen niet langer wachten. Nog even en hij is er geweest.'

'Misschien is hij al dood!'

'Misschien niet.'

47

'Wacht! Je moet aan een lijn of zoiets, dan kunnen we je eruit trekken als er iets gebeurt!'

'Heb je een lijn?'

Huub denkt snel na. 'Nee,' zegt hij, 'maar wel een vangstok. Die kan ik uitschuiven tot een meter of drie.'

'Dat heeft geen zin,' vindt Mart. 'Als ik terugkom met die hond, heb ik allebei mijn handen vol. Dan kan ik me onmogelijk aan die stok vasthouden.'

Hij stapt het kolkende water in.

'Wacht,' roept Fro op haar beurt. Ze gooit haar jas uit, en begint dan haar trui over haar hoofd te trekken.

'Wat ga je doen?' vraagt Huub verbaasd.

'Een lijn maken,' zegt Fro. 'Het was een spel op school. Vlug jongens, trek je kleren uit!'

De anderen weten wat ze bedoelt. De opdracht op school was om een zo lang mogelijke ketting van kleren te maken, een spel waarbij ze over de grond rolden van het lachen. Nu is het ernst! Zo snel als ze kunnen, trekken ze hun trui en lange broek uit en knopen die stevig aan elkaar, bibberend in de koude wind. Princess windt de lange sjaal van haar hoofd waaronder ze haar haren weggestopt had.

'Goeie, Princess,' roept Rat.

Mart bindt het ene uiteinde van de sliert kleren onder zijn armen door om zijn borst. Nu kan hij veilig het water in. Hij laat zich zakken en hapt naar adem. 'K– koud!' hijgt hij.

Met grote passen waadt hij over de zompige bodem naar het eilandje, worstelend met de sterke stroom die hem onderuit probeert te rukken. De anderen houden hun uiteinde van de klerenketting stevig vast en kijken gespannen toe.

Opeens struikelt Mart. Met een plons gaat hij kopje-onder en de stroom sleurt hem onmiddellijk mee. De ketting spant zich.

'Houd 'm,' schreeuwt Huub.

Ze hangen aan de sliert kleren en trekken wat ze kunnen. Mart komt proestend boven. Het water druipt uit zijn haren. 'Verd– domme,' bibbert hij. 'Er ligt daar een fiets of zoiets.'

'De hond!' gilt Fro.

Het water golft over het eilandje, het riet wordt overspoeld en de stroom zuigt de hond de rivier op, eerst langzaam, maar steeds sneller. Princess en Fro gillen, Rat vloekt en Ruud wordt spierwit. Mart neemt een snoekduik. Met grote slagen zwemt hij achter het rondtollende dier aan. Hij grijpt... Op het nippertje weet hij de hond bij zijn staart te grijpen! De ketting is net lang genoeg.

'Halen!' brult Huub.

Ze trekken Mart met hond en al naar de kant. Half zwemmend, half wadend bereikt hij de oever. Huub en Ruud nemen de hond van hem over en Rat en Fro helpen hem op het droge. Princess is al weggerend om handdoeken en dekens uit de bus te halen. De mevrouw die de dierenambulance gebeld heeft, kijkt verbijsterd toe.

'L– leeft hij nog?' vraagt Mart klappertandend. Hij is blauw van de kou en bibbert onbedaarlijk.

'Ja,' zegt Huub na een korte controle. 'En zorg jij ook maar dat je blijft leven. Droog je af en sla een deken om je heen!'

Er liggen maar twee dekens in de ambulance. De ene is voor Mart, de andere voor de hond. Fro wrijft met een handdoek Marts haren droog. Ze stapelt hun jassen om hem heen, maar hij blijft zo erg bibberen dat zijn tanden in een razend tempo tegen elkaar klapperen.

Huub onderzoekt snel de hoofdwond van de hond. 'Hij is ergens tegenaan gestoten,' zegt hij. 'In ieder geval heeft dat ijskoude water een voordeel: het bloeden is erdoor gestopt.' Hij pakt een handdoek en begint het drijfnatte lijf warm te wrijven.

Op dat moment komt een brandweerwagen het terrein op gedraaid, een vuurrood busje. Hobbelend legt de wagen het tweehonderd meter lange stuk van de brug naar de stuw af. Er hangt een aanhangwagen met bootje achter. Niemand let erop. Ze buigen zich allemaal over de half verdronken hond. Die heeft nog geen teken van leven gegeven.

Blits heeft al die tijd over Rats schouders en rug gescharreld, tussen zijn schouderbladen naar beneden glijdend en over zijn T-shirt weer naar boven klauterend. Nu springt hij in het gras en snuffelt nieuwsgierig aan de hondensnoet. Er gaat een rilling door de zwarte neus... Met een zucht doet de hond zijn ogen open en jankt!

'Hij leeft,' juicht Fro.

Ze dansen in het rond. Huub gaat door met wrijven. Princess zit bij de kop geknield en spreekt de hond troostend toe 'Hé ouwe jongen, ben je er weer? Wat heb je allemaal uitgespookt?' Ze kriebelt hem zachtjes op zijn borst. De hond probeert zwakjes te kwispelen.

'Beetje vroeg voor een zwempartij,' klinkt een zware mannenstem achter hen. Er staan twee brandweermannen met hun armen vol dekens. 'Pak aan, jongelui, jullie bevriezen in die beroerde wind. Dat de krokussen bloeien, wil nog niet zeggen dat je de plomp al in kunt!'

'We zijn de plomp niet in geweest,' bibbert Ruud in zijn onderbroek en dunne shirtje. 'Alleen hij.' Hij wijst op Mart.

'Hij had onze jassen harder nodig dan wij,' zegt Princess, maar ze kan niet verbergen dat ze zelf ook staat te klappertanden.

'Kom maar even mee de auto in,' zegt de brandweerman tegen Mart, die erg wit ziet. Zijn collega deelt dekens uit aan de vier bloteriken. Daarna helpt hij Huub om de hond stevig ingepakt in dekens op de brancard van de dierenambulance te leggen.

De brandweerman die met Mart naar het busje gelopen is, komt terug. Hij zegt: 'We gaan even met jullie zwemmer langs de EHBO-post, om te kijken of hij niet al te onderkoeld is geraakt.' Hij wijst op de drijfnatte, aan elkaar geknoopte kleren van de kinderen. 'En hoe komen die dappere redders thuis?'

'Ik zet ze in de ambulance,' zegt Huub. 'Ze kunnen hun fietsen later wel ophalen.'

Het brandweerbusje keert en rijdt weg. Huub bedankt de mevrouw, die nog beduusd is van de reddingsactie. De vier vrienden trekken hun jas aan, zetten hun fiets op slot, zoeken bibberend hun natte spullen bij elkaar en klauteren de dierenambulance in. Er zijn maar twee plaatsen naast Huub, dus Fro en Ruud gaan achterin bij de gewonde hond zitten.

Terwijl Huub start en wegrijdt, aaien en knuffelen ze het dier, maar ze blijven ver uit de buurt van de gapende, gerafelde wond op zijn kop.

'Mart heeft zijn leven gered,' zegt Fro. 'Hij is een held!'

'Maar niet alleen Mart,' vindt Ruud. 'Weet je nog dat ik gisteren zei dat ik ook best een... eh... zoen van je zou willen?' Een rode kleur kruipt omhoog langs zijn wangen. 'Dat meen ik nog steeds, want ik vind je super! Het was een loeigoed idee van die ketting.' Hij gluurt met een scheef hoofd naar haar. 'Ga je me nou de kieteldood geven?'

'Nee.' Fro lacht verlegen. Ze schuift dicht tegen hem aan. 'Alleen maar om het warm te krijgen,' zegt ze erbij.

Huub zet iedereen af bij Rat en Ruud thuis, waar de meisjes droge kleren krijgen van de broers, en ze allemaal gloeiendhete chocolademelk drinken. Zelf rijdt hij door naar de dierenarts. De vader van de tweeling schudt zijn hoofd als hij het verhaal van de redding hoort. 'En dat allemaal voor een hond,' zegt hij. 'Maar die klerenketting was knap werk.' Hij stopt de natte boel in de wasmachine en zegt tegen de meisjes: 'Tegen etenstijd heb ik jullie kloffie weer in orde.'

Even later staat het viertal bij de bushalte, want ze willen hun fietsen ophalen en nog even naar de dierenambulance om te horen hoe het met de hond is – en met Mart natuurlijk.

Tot hun verbazing is Mart al terug als ze een uur later op de centrale aankomen.

'Helden krijgen voorrang in het ziekenhuis,' grinnikt hij. 'Nee hoor, het was niet druk, ik was zó aan de beurt. Behalve een snee in mijn scheenbeen door mijn valpartij over die onderwaterfiets, mankeer ik niks.' Hij wijst op de lege mok voor zijn neus. 'Drie van die met hete soep en ik was weer op temperatuur.'

'Je bent een kei,' roept Fro uit.

'Jullie zijn allemaal keien,' merkt Francis op. 'En met evenveel hersens als een kei. Wat jullie deden, was behoorlijk gevaarlijk! Reddingswerkers moeten altijd eerst aan hun eigen veiligheid denken.'

'Dat hébben we toch gedaan,' roepen ze alle vijf in koor.

'Waar is Huub?' vraagt Ruud.

'Een taxirit doen voor een oude meneer die zijn poes moest laten inenten bij de dierenarts.'

'Hoe is het met de hond?'

'Die zit in het asiel. Zijn kop is netjes ontsmet en dichtgenaaid, en hij moet stevig opwarmen, maar hij komt er wel bovenop. Het asiel gaat proberen zijn baasje te achterhalen, hij is niet gechipt.'

'Als zijn baasje niet gevonden wordt, en niemand haalt hem uit het asiel, dan vraag ík aan mijn vader of ik hem mag hebben,' zegt Ruud.

'Hij is zo lief,' zegt Fro dromerig. 'Maar ja, ik heb Roet al.'

De telefoon gaat. Het is een man die meldt dat er een dode eend langs de waterkant ligt in de Sierkerslaan.

'De Sierkerslaan,' zegt Mart. 'Dat is hier om de hoek, dat kan ik lopend doen.'

'Doe maar even,' zegt Francis. 'De vuilniszakken liggen daar in de la. Enne... haal niet weer een nat pak.'

'Zeg, wat denk je?' snuift Mart. 'Dat dat mijn hobby is?'

'Wij gaan naar huis,' zegt Rat spijtig. 'Het is bijna etenstijd.'

Mart loopt met een 'tot morgen dan' de deur uit met plastic handschoenen aan en een vuilniszak onder zijn arm. De vier vrienden zeggen Francis gedag. 'Doe de groeten aan Huub,' zegt Rat en ze belooft dat ze dat zal doen.

Als ze de straat uit fietsen, komen ze langs Mart die met zijn vuilniszak aan de kant van de sloot staat. Hij ziet hen niet, hij staat met zijn rug naar hen toe en praat met een jongen.

'Doei,' roepen Ruud en Rat in het voorbijgaan, maar Mart hoort hen niet.

Fro haalt diep adem om nog veel harder 'Doei!' te roepen als Princess haar plotseling bij haar arm pakt. Hun voorwielen slingeren zo erg dat de sturen bijna in elkaar haken. Met veel moeite blijven ze overeind.

'Wat dóé je?' roept Fro kwaad.

'Dat is… Dat lijkt…' stottert Princess. Ze kijkt achterom, maar Mart en de knul zijn door een bocht in de straat uit het zicht verdwenen.

Princess slikt. De jongen die met Mart stond te praten, heeft geblondeerd stekeltjeshaar en witte sportschoenen. Honderden knullen hebben geblondeerd stekeltjeshaar en witte sportschoenen. Maar deze… deze had vuurrode, opgezette krassen op zijn hand!

'Wat heb je?' vraagt Fro half boos, half verbaasd. Ze is de schrik nog niet te boven.

'Die jongen bij Mart… Hij leek op een van de dieven van twee nachten geleden,' zegt Princess hees. 'Volgens mij had hij krabbels op zijn hand. Sultan heeft een van de twee flink gekrabt of gebeten. Er zat bloed aan zijn hok.'

Fro schudt haar hoofd. 'Dat kan niet, hij kan die dief niet zijn. Waarom zou Mart met een dief praten?'

'Hij hoeft toch niet te weten dat die jongen een dief is? Misschien vraagt hij hem de weg of zo,' zegt Princess.

'Ja, en misschien heeft die knul wel gewoon ruzie gehad met zijn meisje en heeft zíj hem gekrabt. Weet je wel zeker dat je het goed hebt gezien?'

Princess twijfelt. Ze schakelt haar fiets in een hogere versnelling en zucht. 'Ik zal me wel vergissen. Sinds die rare nacht zie ik overal stekeltjes en witte sportschoenen!'

Een vreemde vogel

'Hebben jullie vandaag de krant al gelezen?'

Als de vier vrienden de volgende middag na school het kantoortje van de centrale binnenlopen, zwaait Francis met een krant. 'Jullie avontuur van gisteren staat erin!'

'Kijken,' roept Fro.

Ze stuiven op Francis af en buigen zich over de krant. DIE-RENAMBULANCE REDT HOND is de kop. Het is maar een klein berichtje, maar er staat een kleurenfoto van de hond bij, die gemaakt is in het asiel. Hij heeft een rare witte toeter om zijn kop om te voorkomen dat hij zijn hechtingen loskrabt.

'O, zielig,' giechelt Princess.

'Weet je wat het mooie is?' zegt Francis. 'Het baasje van dit dier las de krant en herkende zijn hond! Hij raakte hem gisteren bij het uitlaten kwijt en heeft overal gezocht. Rover heet het beest, omdat hij altijd achter de eenden aan rent. Zijn baas heeft hem vandaag meteen uit het asiel gehaald, en kijk eens...'

Francis schuift een la van haar bureau open en haalt er met een zwaai een enorme doos chocola uit. 'Dit heeft hij vanmorgen afgegeven. Voor de helden van de dierenambulance!'

'Joepie!' roept Rat.

'Jammer,' verzucht Ruud. 'Ik had Rover graag zélf gehad. Ik had mijn vader al half omgepraat.'

'Waar zijn Huub en Mart?' vraagt Princess.

'Hier,' klinkt een stem bij de deur.

Niemand heeft het geluid van de bus gehoord. De twee vrijwilligers komen naar binnen, trekken hun oranje jacks uit en ploffen op een stoel.

'Geen zwaan te vinden,' moppert Huub. 'We hebben ons rot gezocht.'

'Welke zwaan?' vraagt Fro.

'Er was een melding van een gewonde zwaan aan de Lanswormerweg,' legt Francis uit. 'Hij zat gisteren heel stil op de oever van de plas, en vandaag nog steeds.'

'Nou, als die zwaan gewond was, mag ik een staart van zeven meter krijgen,' gromt Huub. 'Soms zitten die beesten nou eenmaal tijden op één plek. Hij is gewoon weggevlogen.'

'Ik zal je opvrolijken,' lacht Francis. 'Wil je koffie? En nou de overige helden er ook zijn, kunnen we de chocola soldaat maken.'

'Ik heb er speciaal voor jullie een fles cola bij gekocht,' zegt Mart. Hij houdt een fles omhoog. 'Is deze rit tenminste niet helemaal voor niks geweest.'

Ze drinken koffie, thee en cola, en eten met z'n zevenen de hele doos in één keer leeg.

'Ik ben geloof ik een beetje misselijk,' mompelt Fro als ze de laatste hap doorslikt.

'Eigen schuld, dikke bult,' lacht Mart. 'Jij bent de gulzigste van ons allemaal geweest!'

'Ik hou ook zo van chocola,' verzucht Fro.

Mart steekt zijn vingers uit om Blits te aaien, die midden op tafel op een stuk karton van de chocoladedoos zit te knagen. Het ratje valt woedend naar hem uit.

'Hela, hela!' schreeuwt Mart verschrikt.

'Blits,' roept Rat terwijl hij het beestje van de tafel graait. Hij kijkt Mart verontschuldigend aan. 'Nou doet-ie het weer! Wat heeft hij tegen jou?'

Mart lacht als een boer met kiespijn. 'Misschien is hij kwaad dat ik voor jullie cola heb gekocht, maar voor hem niks. Wat lusten ratten graag?'

'Hij moet niet zo achterlijk doen,' gromt Rat boos.

'Het is rustig vandaag, ik ga het magazijn opruimen,' zegt Huub.

'Wij helpen mee,' roepen Princess, Rat en Ruud.

'Ik zal de folders bijvullen,' zegt Fro. Ze wijst naar het rek aan de muur.

'Dat is goed,' zegt Huub. 'We sjouwen om te beginnen alle folderdozen van het magazijn hiernaartoe. Dan krijgen we ginds ruimte om adem te halen.'

Fro wordt ingebouwd tussen stapels kartonnen dozen. Ze maakt ze open en vindt folders van de knaagdierenopvang, de vogelopvang en de Eekhoornopvang Nederland. Er is informatie over de verzorging van fretten, cavia's en alle mogelijke andere dieren, over de dierenbescherming, over het kiezen van een hond, en over Kids for Animals.

'Hoe raak ik die allemaal kwijt in het rek?' vraagt ze wanhopig aan Francis.

'We wisselen ze regelmatig,' zegt die. 'Eigenlijk moeten we een rek bijkopen. Ik zal eens een verzoek indienen bij het bestuur.'

Fro maakt de laatste doos open. Daarin zitten folders van Proefdiervrij, een organisatie die strijdt tegen het testen van allerlei producten op dieren. 'Hé,' roept ze uit, 'daarover stond een stukje in de nieuwsbrief van onze school. Proefdiervrij komt morgen in onze klas!'

Ze vergeet haar klusje en leest de folder aandachtig.

Huub en Rat zijn net begonnen de tweede rij schappen in het magazijn leeg te ruimen als de telefoon gaat.

'Een duif die niet kan vliegen, jongens,' roept Francis even later. 'Op de Poerakkerweg, bij mevrouw Jensen in de tuin.'

'Pech voor jou, Francis,' roept Huub. 'Dat betekent dat jij de rest hier moet opruimen. Wij zijn weg!'

Francis trekt een grimas. 'Kwallenkop! Plof maar!'

Huub en Mart schieten grinnikend in hun jack, pakken de klapper met ritstaten, de mobiele telefoon en de autosleutels, en vertrekken. Maar nog vóór ze de bus starten, stuiven Fro, Ruud, Rat en Princess al op hun citybikes het terrein af.

'Trappen, jongens,' roept Rat. 'Zij moeten helemaal om over de ringweg. Wij zijn er het eerst!'

Dat klopt, maar ze kunnen natuurlijk niet aanbellen bij mevrouw Jensen. Ongeduldig wachten ze op de komst van Huub en Mart. Ruud bukt zich en gluurt door de hoge heg. In het midden van een grote tuin staat een verbouwd boerderijtje met een tuinbank naast de voordeur. 'Op de bank staat een omgekeerde wasmand. Zou die duif daaronder zitten?' vraagt hij zich hardop af. 'Volgens mij zie ik iets bewegen.'

'Dan heeft deze mevrouw er in ieder geval een wasmand

overheen durven zetten,' zegt Rat. 'Weten jullie nog, die bange mevrouw Van de Sluys?'

'Met die grote boze roofmeeuw in haar tuin,' proest Princess.

'Voeten vegen, heur, kinderen,' gniffelt Fro. 'Zou een leuk adres zijn voor de papegaai die Fred en Sas uit een boom geplukt hebben.' Ze krijst: 'Voeten vegen, viezerik!'

Ruud schrikt zich een ongeluk. Hij vliegt overeind. Een uitstekende tak trekt een lange, bloederige schram over zijn wang. 'Au! Achterlijke baviaan! Wie gilt er nou zo hard in iemands oor?'

'Die... die papegaai,' hikt Fro. 'O, je ziet er raar uit als je geschrokken bent!'

'Raar, hè!' gromt Ruud. Met twee passen is hij bij haar, pakt haar beet en weet haar met succes beentje te lichten. Als ze hulpeloos lachend in het gras ligt, toetert hij op z'n papegaais in haar oor: 'Moet ik nou blij zijn? Kwallenkop! Plof maar!' Hij zet zijn vingers in haar zij en kietelt haar door haar dikke jas heen. Er klinkt een scheurend geluid.

'Oei! O! Stop!' weet Fro uit te brengen tussen twee lachbuien door.

'Meisjes plagen, kusjes vragen, Ruudje,' roept Rat heel pesterig.

'Ruudje is verliefd,' joelt Princess. 'Kijk eens, hoei, wat wordt hij rood!'

Opeens klinkt op de weg motorgeronk en even later draait de dierenambulance het erf van het boerderijtje op. Ruud laat Fro los en springt op. 'Daar zijn ze!' roept hij, blij met de afleiding. Ze rennen achter de bus aan.

Mevrouw Jensen heeft de motor ook gehoord en komt naar buiten. Ze kijkt verbaasd naar de stoet hulpverleners.

'Dierenambulance,' roept Huub opgewekt. 'Let u maar niet op deze ukken, mevrouw, ze horen bij ons als slagroom op een toetje. U hebt een duifje gevonden?'

Ze knikt en wijst op de wasmand. 'Ik heb hem daaronder gezet. Dat was niet moeilijk, want hij probeerde niet eens te fladderen. Hij wandelt al een paar dagen door de tuin.'

Huub tilt de wasmand een stukje op en pakt er een klein duifje onderuit.

'Dat is een jonkie,' roept Fro uit. Ze plukt een lange grasspriet uit haar haren.

'Dat kan niet, de broedtijd moet nog beginnen,' zegt Rat.

'Het is een laat jong van vorig jaar,' verklaart Huub. 'Een Turkse tortel. Hij ziet er merkwaardig uit, moet je kijken.'

Ze buigen zich allemaal over het tortelduifje, dat zich zonder protest om en om laat draaien in Huubs handen.

'Hij heeft trekken van een volwassen vogel én van een jong, door elkaar,' zegt Huub. 'Kijk, zijn snavel is nog zacht. Bij het ouder worden zou die moeten verhoornen, hard worden. En hier, op zijn borst... Niks dan dons! Maar zijn vleugels zijn prachtig uitgegroeid. En die staart... Nou, dat slaat alles.'

De staart ziet er stakerig uit. Je kunt er dwars doorheen kijken, want de onderste helft van de veren bestaat alleen uit een schacht! Huub wijst op de pluimpjes aan de bovenkant en zegt: 'Als een vogel nieuwe veren krijgt, splijt de schacht over de lengte open en ontvouwt de veer zich. Hier is dat alleen bovenaan gebeurd. Kijk, de rest zit nog stijf opgerold.'

'Geen wonder dat-ie niet kan vliegen,' zegt Fro. 'Wat is er met zijn staart, Huub?'

'Ik zou zeggen: hij is niet goed door de voorjaarsrui gekomen,' zegt Huub nadenkend. 'Maar ik denk dat hij ook niet goed door zijn groei naar volwassenheid is gekomen, hij is gewoon slecht ontwikkeld. Ik heb nog nooit zo'n vreemde mengelmoes gezien.'

'Een echte vreemde vogel dus,' grinnikt Rat.

'Wordt hij nog beter?' vraagt Princess. Ze aait het duifje medelijdend over zijn rugje. Ook daar groeien nog veel grijze donsveertjes, die lekker zacht zijn.

'Ik denk wel dat hij een goede kans maakt,' zegt Huub. 'Dat hij er zo raar uitziet, is een gevolg van vitaminegebrek. Nieuwe veren maken kost een hoop energie. Deze arme donder is te laat uit zijn ei gekropen; in de winter is het lastig om groot te worden.'

'Het is dus maar goed dat ik gebeld heb,' zegt mevrouw Jensen. 'Mijn man vond het onzin, zo'n hoop heisa om een duifje, maar ik vond het zielig. Nu ik weet dat hij beter kan worden, ben ik blij dat ik heisa gemaakt heb!'

'U kunt ons altijd bellen, mevrouw,' zegt Huub. 'Weet u wat, ik geef u een folder waarin staat wat wij allemaal doen. Pak er even een uit de bus, Fro.'

Terwijl Fro op en neer rent, gaat mevrouw Jensen naar binnen, en ze komt naar buiten met een handvol chocoladerepen. 'Alsjeblieft,' zegt ze, 'voor allemaal één. Om te vieren dat het duifje het redt, en om jullie te bedanken.'

Fro geeft haar de folder, maar wordt wit om haar neus als ze de reep ziet die mevrouw Jensen haar voorhoudt. Ze drukt haar hand tegen haar maag en mompelt: 'Nee dank u, mevrouw, ik hoef geen chocola.'

De anderen lachen haar uit, terwijl mevrouw Jensen hen verbaasd aankijkt.

Terug op kantoor pakt Huub de telefoon en belt Hans van de vogelopvang. Hij vertelt hem van het Turkse torteltje. Aan de andere kant valt een verlegen stilte. Dan begint Hans' stem te brommen, en Huub antwoordt met tussenpozen: 'Wat zeg je me nou? Hoe... Ja. Ja. Hm-m... Ik snap het ja, maar vervelend is het wel. Oké Hans, ik zoek verder.'

Als hij de hoorn heeft opgelegd, verzucht hij: 'Nou, dat komt niet vaak voor. De opvang zit bom- en bomvol! Bijzondere vogels nemen ze nog op, maar voor duiven en kippen en zo hebben ze een tijdelijke stop.'

'Ik vang hem wel op,' zegt Mart snel. 'Geen probleem. En als hij weer oké is, laat ik hem los. Alleen moet je me tips geven voor zijn verzorging, Huub. Wat moet ik doen aan dat vitaminetekort?'

Huub schudt ongelovig lachend zijn hoofd. 'Je loopt wel hard van stapel, Mart,' zegt hij. 'Je werkt hier nog maar twee middagen!'

'Ik ben hier komen werken om dieren te helpen,' zegt Mart schouderophalend. 'Dus help ik dieren. Vertel me nou even van die vitamines.'

'Dat is simpel, je gaat naar een dierenwinkel en koopt speciaal voer voor duiven in de rui. Zeg er maar bij dat het om een jonkie gaat.'

'Oké, dan fiets ik straks... O nee, de winkels zijn dicht als onze dienst erop zit.'

'Ik koop het wel voor je, Mart,' biedt Fro aan. 'Ik moet nu gaan eten thuis, maar de dierenwinkel heeft koopavond tot acht uur en na het eten mag ik nog wel even de stad in. Zal ik het hier afgeven?'

'Dat is goed,' zegt Mart en hij steekt zijn duim omhoog. 'Bedankt!' Er glijdt een plagerige lach over zijn gezicht. 'Wil je een reep chocola als beloning?'

'Beuh,' kokhalst Fro.

Duivenvoer met hindernissen

Het is tien over halfacht als Fro haar fiets bij
de dierenwinkel stalt. Roet heeft de hele
weg naast haar gerend, maar is nog lang niet moe. Hij kwispelt wild alsof hij zeggen wil: stoppen we nou al? Fro knielt bij
hem neer, pakt zijn kop tussen haar handen en zegt streng:
'Pas op dat je je gedraagt, Roetkop. Jaag geen parkieten en
konijnen op stang!'

Ze houdt hem stevig aan de lijn als ze de deur openduwt.
De winkel is vol gekwetter. Roet kijkt smekend op naar zijn
vrouwtje, alsof hij vraagt: 'Mag het écht niet?' Hij jankt en likt
zijn bek.

Fro schiet in de lach. 'Pas op, hoor,' fluistert ze. Ze vraagt
een verkoper om het speciale vogelvoer en betaalt met het
geld dat Mart haar meegegeven heeft. Van haar eigen geld
koopt ze een van de hondenkluifjes die in een viskom op de
toonbank staan.

'Voor jou, Roet,' zegt ze als ze weer buiten staan. 'Je bent su-
perbraaf geweest. Kom, nu snel naar de dierenambulance.
Marts dienst zit er bijna op.'

Ze stopt haar hand in haar jaszak om haar fietssleuteltje te
pakken, maar grijpt op een lege plek. 'Stik,' bromt ze.

Ze voelt in haar andere zak, haar broekzakken… Niks! Haar
ademhaling gaat steeds sneller terwijl ze op haar hurken zakt

en in het donker de stoep rond haar fiets afspeurt. Uiteindelijk loopt ze zenuwachtig de winkel weer in.

'Heb ik hier misschien mijn fietssleuteltje laten liggen?'

De verkoper zoekt mee, maar op de toonbank en zelfs tussen de hondenkluifjes ligt het niet. Op handen en knieën zoekt Fro de vloer af, terwijl Roet om haar heen dribbelt en haar vrolijk in haar gezicht likt met zijn slobbertong.

'Hé, ga weg,' protesteert ze. 'Ik ben niet aan het spelen, Roet!'

De vloer is leeg op een verdwaald poezenspeeltje na en Fro staat op. 'Nou weet ik het niet meer,' zegt ze beteuterd. 'Ik zal mijn vader moeten bellen.'

Ze voelt nóg een keer in haar zakken en klopt op haar jack. Opeens voelt ze iets hards in de zoom. Daar zit het sleuteltje, tussen twee lagen stof! Verbaasd roept ze uit: 'Hoe komt het daar nou terecht?'

'Misschien zit er een gat in je zak,' zegt de verkoper.

Fro trekt de zak binnenstebuiten. Het stiksel van de naad is losgeraakt. Dat moet gebeurd zijn bij de stoeipartij van vanmiddag! Door het gat is het sleuteltje naar beneden gegleden. 'Ik zet het je nog wel betaald, Ruudje,' mompelt Fro. Ze wurmt haar vingers door het gat en wroet tot ze het sleuteltje te pakken heeft. Met een rood hoofd, zo warm heeft ze het gekregen, kijkt ze op haar horloge. Al vijf over acht!

'Bedankt,' roept ze naar de verkoper, vliegt de winkel uit en springt op haar fiets.

'Rennen, Roet,' roept ze. 'Misschien zijn ze er nog!'

De meeste dierenambulances zijn 24 uur per dag in touw, maar de ambulance in Fro's stad heeft niet genoeg vrijwilligers. De laatste dienst stopt om acht uur, hoewel dat kan uitlopen als het erg druk is. Fro hoopt dat dat vandaag het geval is en trapt zo hard ze kan, maar als ze aankomt bij de centrale is alles donker en stil. De bus staat geparkeerd en is afgesloten.

'Sukkel,' foetert ze zichzelf uit. Ze had Mart natuurlijk moeten bellen om hem te vertellen dat ze wat later zou komen! Daar heeft ze in de haast geen seconde aan gedacht. Ze aait Roet, terwijl ze nadenkt. Als ze weet waar Mart woont, kan ze het voer even bij hem afleveren.

'Ik bel Francis,' zegt ze hardop, pakt haar mobieltje en kiest een nummer uit het geheugen. De telefoon gaat niet lang over.

'Met Francis.'

'Hoi Francis, met Fro. Ik heb voer gekocht voor dat tortelduifje, maar nou zijn Mart en Huub hier al weg. Weet jij Marts adres?'

'Je boft, ik heb de lijst mee naar huis genomen voor de planning. Een ogenblikje.'

Er verstrijkt een minuut, dan klinkt er geritsel en de stem van Francis. 'Teunisbloem 31. Weet je waar dat is?'

'Bloemenbuurt zeker? Dat vind ik wel. Hartstikke bedankt, Francis.'

'Doei doei.'

Fro klapt haar mobieltje dicht en klimt weer haar op fiets. 'Kom, Roet,' zegt ze. 'Het is duivenvoer met hindernissen, maar we komen er wel.'

Ze hoeft maar één keer de weg te vragen, en na een kwartier fietst ze de Teunisbloem in. Nummer 31 is een vrijstaand huisje met een grote loods erachter en daarachter beginnen, vaag zichtbaar in het donker, de weilanden. Fro zet haar fiets tegen het hek. Ze is halverwege het tuinpad als de voordeur opengaat.

'... een paar weken, schat ik,' klinkt de stem van Mart.

In het licht van de buitenlamp ziet Fro een knul naar buiten komen, die antwoordt: 'Twintig stuks, vóór 1 april, dat is de deal.'

Het is de stekeltjesjongen van gisteren! Achter hem komt Mart de deur uit. Hij maakt een wilde beweging van schrik als hij Fro op het tuinpad ziet. Kwaad roept hij: 'Wat moet je hier?'

'Nou moe,' stottert Fro. 'Ik kom je alleen maar je duivenvoer brengen.'

Ze hoort Mart diep inademen. 'Frootje! Ik dacht dat je een van die rotjochies was die steeds de ramen van mijn beestenloods ingooien. Gisteren had het stinkdier bijna een steen op zijn kop! Is dat je hond?'

Hij loopt naar haar toe en steekt zijn hand uit om Roet te aaien, maar Roet schiet met een schelle jank achter Fro's benen. Ze struikelt bijna over de riem. 'Roet,' roept ze uit. 'Doe effe normaal!'

Ze drukt Mart de zak voer en het wisselgeld in zijn handen. 'Alsjeblieft,' zegt ze. 'Ik moet naar huis, mijn ouders weten niet waar ik blijf.'

'Bedankt, Frootje. Bel de volgende keer even van tevoren.'

Fro loopt terug naar haar fiets. Als ze nog een keer omkijkt om haar hand op te steken, ziet ze dat Marts bezoeker buiten de lichtkring van de buitenlamp is gaan staan, in de slagschaduw van een boom. Ze ziet alleen maar een zwarte schim.

Snel fietst ze naar huis, terwijl Roet naast haar draaft en de dynamo langs haar voorband zingt. Nou, in ieder geval was het gisteren geen toevallig praatje van Mart met de stekeltjesjongen. Het moet een vriend van hem zijn. Het zinnetje dreint door haar hoofd: *Twintig stuks, vóór 1 april, dat is de deal.* Twintig stuks wat, vraagt ze zich af.

Opeens geeft Roet een felle ruk aan zijn riem. Fro's fiets slingert, knalt tegen de stoeprand en slaat kletterend tegen het wegdek. Haar bel breekt af en rolt rinkelend weg. Fro maakt een schuiver over het asfalt, maar ze let niet op de pijn, alleen op Roet die halsoverkop de struiken in rent. 'Roet! Roet!' gilt ze. Ze duwt de fiets van zich af en krabbelt overeind. Roet is verdwenen. Hinkend gaat ze achter hem aan, een wirwar van takken in. 'Roet!' gilt ze nog een keer. 'Kom hier, snerthond!'

Een paar tellen later struikelt ze bijna over hem. Hij is op een grasveldje aan de andere kant van de struiken stil blijven staan en snuffelt aan iets. Als ze bij hem neerknielt, ziet ze een duif op het gras zitten. Hij is veel groter dan de Turkse tortelduif van vanmiddag. Hij beweegt niet, zelfs niet nu Roet nieuwsgierig zijn neus tegen hem aan drukt, en hij ziet er ziek en ellendig uit.

'O,' zegt Fro. Heel voorzichtig pakt ze de duif op. Hij laat het zonder tegenstribbelen toe en ze aait hem met haar wijs-

69

vinger over zijn kopje. 'Hé, baasje... Wat is er aan de hand?' Rilt hij, of verbeeldt ze zich dat maar?

'Kom eens mee naar het licht, dan kan ik je beter zien,' zegt Fro. 'Kom Roet, jij ook.'

Ze wringt zich door de struiken terug naar de straat en bekijkt de duif in het licht van een lantaarnpaal. Hij is zo mager dat Fro ervan schrikt. Ze voelt aan zijn keel, zoals Fred haar heeft geleerd. Daar zit de krop, de eerste maag van een duif, waarin de binnengeslokte granen een tijdje worden geweekt. De krop is leeg. 'Je bent half verhongerd,' zegt Fro vol medelijden.

Ze trekt de vleugels van de duif een voor een opzij en voelt of ze gebroken zijn, maar ze zijn stevig en heel. Als ze de poten bekijkt, zuigt ze haar adem in. De linkerpoot, waarom een ring zit, is heel dik! 'Arme jongen,' zegt ze. 'Dat moet hartstikke zeer doen. Weet je wat? Morgen na school neem ik je mee naar de dierenambulance, dan kunnen ze met je naar de dokter. Tot die tijd blijf je bij mij.'

Ze zet haar fiets overeind, wrikt het stuur recht en fietst langzaam en voorzichtig naar huis, terwijl haar maffe hond Roet naast haar danst.

Dierproeven

'Ik heb een gewonde duif in een doos in de
bijkeuken,' vertelt Fro de volgende morgen
op school aan Princess. 'Maar Roet gedraagt zich als een idioot: hij zit maar te janken voor die deur en hij krabt er de verf
af. Mijn moeder krijgt er een punthoofd van!'

'O, wat schattig,' lacht Princess. 'Hij wil dat duifje natuurlijk
beschermen.'

'Ja, of opvreten,' bromt Fro. Ze zucht. 'Ik wou dat ik niet
naar school hoefde, dan kon ik met die duif naar de dierenarts.'

'De dag zal wel vlug voorbij zijn,' troost Princess. 'Proefdiervrij komt vanmiddag!'

'O ja,' zegt Fro wat vrolijker.

'Nou, ik weet niet of je daar vrolijk van moet worden,' zegt
Princess.

Die middag staat er een vrouw in de klas als Princess en Fro
na de pauze binnenkomen. Hun meester helpt haar een lap-
top en een scherm op te stellen voor de Powerpointpresenta-
tie die ze gaat geven. Als alle kinderen zitten, zegt ze: 'Dag allemaal, ik ben Rinske Verweijen van Proefdiervrij. Ik ga jullie
vandaag vertellen over het werk van onze organisatie. Kent iemand Proefdiervrij?'

Er gaan een stuk of tien vingers omhoog.

'Van spotjes op de tv,' roept Hamid.

'Jullie zijn tegen dierproeven,' weet Melany.

'Hartstikke goed. Ja, wij zijn tegen het testen van allerlei producten op dieren. Ik zal jullie eerst vertellen wat dierproeven zijn, hoe die worden gedaan en waarom.'

Rinske Verweijen start Powerpoint en er verschijnt een foto van een wit konijnenkopje achter spijlen op het scherm.

'Aah...' klinkt het vertederd uit verschillende monden.

'Dit is een testkonijntje dat in een laboratorium voor dierproeven gehouden wordt. Om testdieren te houden, moet een bedrijf een vergunning hebben. In Nederland hebben ongeveer tachtig instanties zo'n vergunning: ziekenhuizen, universiteiten en fabrikanten.'

Er verschijnt een nieuw plaatje, dit keer van allerlei flessen en potjes.

'Er worden aldoor nieuwe producten gemaakt,' vertelt Rinske. 'Medicijnen, shampoo, tandpasta, make-up, schoonmaakmiddelen, wasmiddelen... Maar vóór mensen ze veilig kunnen gebruiken, moet uitgeprobeerd worden of ze niet schadelijk zijn. Dat doen fabrikanten door ze te testen op dieren.'

'Gemeen,' roept Dennis.

Rinske klikt met de muis en nu verschijnt er een foto van een konijntje dat op de rug is kaalgeschoren. De kale plek ziet er vreselijk uit: helemaal rauw en ontstoken. In de klas klinken boze kreten: 'Jakkes!' 'Zielig!' 'Dierenbeulen!'

Fro roept: 'Wat hebben ze met hem gedaan?'

'Ze hebben zijn huid kaalgeschoren om een zalf te kunnen testen,' legt Rinske uit. 'De zalf mag natuurlijk niet als bijwerking hebben dat je huid ervan kapotgaat.' Droog laat ze erop volgen: 'Zo te zien heeft deze zalf wél die bijwerking.'

Ze laat nog meer foto's zien en vertelt over allerlei soorten dierproeven. Hoe dieren expres worden ziek gemaakt om medicijnen uit te proberen, hoe ze gedwongen worden een schoonmaakmiddel in te slikken om te kijken bij welke hoeveelheid dat dodelijk is, hoe ze mascara in hun ogen krijgen gesmeerd... Vaak worden dieren niet verdoofd, omdat dan niet duidelijk is of en wanneer iets pijn doet. En soms is het nodig ze dood te maken en open te snijden om te kijken wat het middel in hun lijfje heeft gedaan. Princess en Fro worden misselijk van medelijden en woede.

'Bij elkaar worden elk jaar meer dan 600.000 dieren gebruikt als proefdier,' besluit Rinske. 'Cavia's, ratten, poezen, honden, paarden en vissen... De lijst is ellenlang.'

Veel kinderen krijgen tranen in hun ogen. Ze denken aan hun eigen huisdier.

Maar Job steekt zijn vinger op. 'Het is zielig, juffrouw, dat snap ik wel, maar we kunnen het toch moeilijk allemaal uitproberen op mensen.'

'Beter op mensen dan op dieren,' roept Princess boos.

'Dieren kunnen zich niet verdedigen,' gilt Vicky.

Job rimpelt zijn neus en zegt: 'Gaan júllie dan in zo'n hokje zitten!'

Sommige meiden vliegen hem bijna aan. Een paar jongens roepen kwaad naar hem, maar anderen vallen Job bij.

Meester moet er aan te pas komen om een eind te maken aan het tumult. 'Misschien wil juffrouw Rinske daar iets over zeggen,' stelt hij voor als de klas is bedaard.

Rinske neemt het woord. 'Proefdiervrij vindt een goede gezondheid van mensen ook heel belangrijk,' zegt ze, terwijl ze naar Job knikt. 'Maar, punt één: zijn er nog niet genoeg schoonmaakmiddelen? Moeten er alsmaar nieuwe bij? Die moeten allemaal getest worden!'

'Dat is waar,' zegt Job. 'Maar we hebben wel steeds nieuwe medicijnen nodig.'

'Zeker,' zegt Rinske, 'en daarom pleit Proefdiervrij voor andere manieren om die uit te proberen.'

Ze legt het uit met een plaatje op het scherm. De klas ziet een man in een witte jas die iets in een buisje druppelt. 'Vroeger testten ze mascara, shampoo en al dat soort middeltjes door ze in konijnenoogjes te druppelen, zoals ik jullie vertelde. Maar het was een beetje gemeen van me: de foto van het konijntje met de ontstoken oogjes is al een oude foto. Tegenwoordig druppelen onderzoekers die middeltjes in een buisje waarin een vloeistof zit die op het oogvocht van mensen lijkt. Door te testen wat er met die vloeistof gebeurt, weten ze of het middeltje schadelijk is, ja of nee. Zo kun je veel meer proeven bedenken waarbij je geen dieren meer nodig hebt. En dát is waar Proefdiervrij voor pleit: we moeten op zoek naar dat soort proefjes en er gebruik van maken. Uiteindelijk moeten er helemaal geen dieren meer gebruikt worden.'

Iedereen is het met haar eens; ook Job zit heftig te knikken. Fro steekt haar vinger op. 'Hoe komen ze eigenlijk aan al die dieren?' vraagt ze.

'Vroeger haalden ze die overal vandaan,' zegt Rinske. 'Uit het wild, huisdieren…'

'Huisdieren?' roept Princess vol afschuw.

74

'Niet te geloven, hè?' zegt Rinske. 'Maar in 1997, precies honderd jaar nadat Proefdiervrij werd opgericht, kwam er een nieuwe wet op dierproeven. Daarin staat dat je geen huisdieren of wilde dieren meer mag gebruiken. Er zijn nu speciale proefdierfokkerijen waar bedrijven hun dieren moeten kopen. Elke dierproef is aan strenge regels gebonden.'

Dennis steekt zijn vinger op. 'Ik gebruik gel, juffrouw...'

Hij kan niet verder praten omdat de rest van de klas hard begint te lachen. Dat Dennis gel gebruikt, hoeft hij niet te vertellen! Zijn lange haar staat recht overeind. Schaapachtig lachend wacht hij tot hij zich weer verstaanbaar kan maken. 'Ik bedoel,' zegt hij dan, 'dat er op mijn tube gel "dierproefvrij" staat. Wil dit zeggen dat er geen dieren voor getest zijn?'

'Alleen egels,' roept een leukerd.

Rinske glimlacht. 'Jammer genoeg kun je daar niet zeker van zijn,' zegt ze. 'Soms zijn fabrikanten niet helemaal eerlijk: ze zetten "diervriendelijk" of "dierproefvrij" op het etiket omdat het product zelf niet op dieren is getest, maar zeggen er niet bij dat sommige ingrediënten daarvan wél op dieren zijn getest.'

'Dat is vals!' roept Mirjam. 'Hoe kun je dan zeker weten of je iets gebruikt waar geen dieren voor zijn getest?'

Rinske klikt met haar muis en op het scherm verschijnt de naam van een website: www.cosmeticagids.nl. 'Als je hiernaartoe surft, kun je controleren hoe een product is gemaakt en getest,' zegt ze. 'En dat geldt ook voor alle stofjes die erin zitten.'

Iedereen zit meteen ijverig te schrijven.

'Ik ga straks meteen op internet kijken,' zegt Dennis.

'Ik ook! Ik ook!' klinkt het van alle kanten.

De wijzer van de klok staat bijna op halfvier. De middag is omgevlogen. Tot slot deelt Rinske sleutelhangers uit waarop de afbeelding van een hondje is gedrukt. 'Dit is Joep,' lacht ze, 'onze mascotte. Ik hoop dat jullie veel mensen zullen vertellen over Proefdiervrij!'

Als ze later die middag naar de centrale van de dierenambulance fietsen, raken de vier vrienden niet uitgepraat over het bezoek van Proefdiervrij. Bij Rat en Ruud in 7b is Rinske Verweijen 's ochtends geweest.

'Ik heb mijn gel meteen opgezocht op de website,' zegt Ruud. 'Op dieren getest! Ik heb hem meteen in de vuilnisbak geknikkerd!'

Op kantoor zet Fro haar doos met de duif op tafel. Tot hun verrassing is Mart er.

'Hé, ik dacht dat jij alleen op woensdag- en dondermiddag dienst had?' zegt Rat.

'Dat is ook zo, maar Nanda is ziek en ik val voor haar in,' legt Mart uit.

'Hoe is het met ons tortelduifje?' vraagt Princess.

'Prima, het eet zich te barsten. En het haantje ben ik al kwijt.'

'Wat!' schrikt Ruud. 'Is hij weggevlogen?'

'Welnee, zo bedoel ik het niet. Ik heb een goed adres voor hem gevonden. Een vriend die bij mij om de hoek in de Voorstraat woont, hoorde dat zijn buurman een haan zocht. Dus vanaf nu koeioneert dat beest de kippen van meneer Dekkers.'

Zou die vriend die stekeltjesjongen zijn, vraagt Fro zich af.

Ze weet wat er gebeurt met dieren als hun overlevingskans klein is: die krijgen een spuitje, net als de kokmeeuw die ze bij mevrouw Van de Sluys uit de tuin gevist hebben. 'Alstublieft,' smeekt ze. 'Alstublieft, kunt u niet proberen hem te helpen?'

De dierenarts aait nadenkend over het borstje. 'Oké,' zegt hij ten slotte. 'Waarom ook niet. Hou hem even vast, dan pak ik wat spulletjes.'

Fro pakt de duif aan en knuffelt hem. Ze kijkt in de zwarte kraaloogjes, waar af en toe een grijs ooglid overheen knipt. 'Rustig maar, jongen, het komt goed,' fluistert ze.

De arts meet hoe lang het gewonde pootje is. Hij pakt een paar wattenstokjes, haalt de wollige uiteinden eraf en knipt ze op maat. Dan plakt hij twee van die stokjes met leukoplast aan elkaar zodat er één wat dikker stokje ontstaat. Zo maakt hij er drie.

'Dit zijn spalkjes,' vertelt hij. 'Nu spray ik z'n pootje eerst met een ontsmettingsmiddel, want er zit een open wondje, zie je wel? Dat is ontstoken.'

Na het sprayen draait hij een watje om de poot en drukt er aan drie kanten een spalkje tegenaan. 'Jij hebt van ons de smalste vingers, beste meid,' zegt hij tegen Flo. 'Als Loek de vogel vasthoudt en jij de spalkjes, zet ik ze vast.'

Voorzichtig houdt Fro de minispalkjes op zijn plaats terwijl de arts er leukoplast omheen wikkelt. Het is een heel gepruts, met zo'n kleine vogel in drie paar handen. Aandachtig staan ze over hem heen gebogen, hun hoofden raken elkaar bijna.

'Geef je hem penicilline?' vraagt Loek als de poot gespalkt is.

De dierenarts knikt. 'Ik zal hem wat inspuiten, dat helpt

hem te genezen. Maar dan moeten we hem eerst even op de weegschaal leggen.'

'Waarom?' vraagt Fro.

'Omdat bij een bepaald gewicht een bepaalde hoeveelheid penicilline hoort,' legt de arts uit.

Loek legt de duif op zijn rug op de weegschaal en laat hem los.

'Hé, zo vliegt hij weg!' roept Fro verschrikt.

Maar de duif blijft merkwaardig stil liggen. De dierenarts leest het gewicht af, en Loek lacht: 'Als je een vogel op zijn rug legt, kan hij niks meer, Frootje. Dan blijft hij liggen waar hij ligt.'

'Ziezo, klaar,' zegt de dierenarts, nadat hij de duif het spuit-je gegeven heeft. 'De patiënt mag weer terug in zijn doos. Laten we er het beste van hopen.'

'Eh... Mart?' vraagt Fro, als ze even later terug zijn op kan-toor. 'Heb je nog plek voor een duif? Nóg een duif, bedoel ik.'

Mart kijkt naar de duif met zijn gespalkte poot. 'Wil je je pa-tiënt niet liever zelf verzorgen?'

Fro zucht. 'Keigraag, maar Roet is er gek mee en mijn moe-der wordt knettergek van die twee. Die gaan niet samen, zegt ze. En omdat de vogelopvang...'

'Maak je geen zorgen,' lacht Mart. 'Hij mag met me mee.'

'Gelukkig,' roept Rat, 'dan wordt die duif tenminste geen proefdier!'

'Hoezo?' vraagt Mart. Hij vuurt het woord af als een kogel. Zijn stem klinkt zo scherp dat iedereen hem verbaasd aan-kijkt.

'Was maar een geintje, hoor,' stottert Rat. 'Nogal flauw. Ik bedoelde alleen maar – als die duif bij Mart logeert, kan Roet niet van dat dier proeven.'

Brokkenpiloot

Het is woensdagmiddag en al de hele dag is
het rustig op de dierenambulance. Buiten
motregent het uit een loodgrijze lucht. 'Iedereen kruipt bij
de kachel met dit weer,' gaapt Francis. 'Geen mens besteedt
aandacht aan de beesten buiten.' Ze kijkt met een frons naar
de telefoon. 'Of zou dat ding gewoon kapot zijn?'

Fro wipt haar stoel op twee poten. 'Hé Mart, hoe is het met
mijn duifje?'

'Hij wordt gek van de papegaai,' beweert Mart. 'Hij zit de
hele dag achterstevoren met zijn vleugels in zijn oren.'

'Ja, dat zal wel,' grinnikt Fro. 'Maar ik bedoelde: hoe is het
met zijn poot? Geneest-ie goed?'

'Hij steunt er alweer op,' zegt Mart. 'Dat lijkt me een goed
teken.'

'Gaaf! Ik wil graag op ziekenbezoek,' zegt Fro. 'Ben je vanavond thuis?'

'Eh… ja. Eh… nee!' stottert Mart. 'Nee, ik ga squashen met
een vriend. Jammer Frootje, vanavond ben ik er niet.'

'Morgen dan?'

'Dan komt mijn belastingman om allerlei papieren in te
vullen,' verzucht Mart.

'Overmorgen?'

'Dan lig ik vast met knallende koppijn op bed, vanwege die

belastingen!' Mart lacht. 'Eerlijk, Frootje, ik weet het niet. Ik heb mijn agenda niet bij me.'

De telefoon gaat. Francis schrikt zo van het geluid dat ze opveert van haar stoel. 'Eh… met de dierenambulance, met Francis. Zegt u het maar.'

Huub, Mart en de vier vrienden luisteren gespannen mee. Kunnen ze eindelijk op pad?

Francis legt de hoorn neer. 'Nou, een raar geval. Dit was een meneer die vanuit zijn auto een hondje zag lopen dat een paal achter zich aan sleept!'

'Een paal?' vraagt Huub. 'Hoezo?'

'Aan zijn tuigje zit een touw, en daaraan hangt een ijzeren paal. Waarschijnlijk is hij ergens ontsnapt, en heeft hij die paal uit de grond getrokken. Hij loopt op de Beekweg, richting het Smokkelaarspad.'

'Kon die man hem niet vangen?'

'Hij had een belangrijke afspraak, dus we mogen al blij zijn dat hij de moeite heeft genomen ons telefoonnummer op te zoeken.'

'Oké, *let's go*,' zegt Mart.

Rat, Ruud, Fro en Princess rennen de deur uit naar hun fietsen.

Op de hele Beekweg is geen hondje te bekennen. Huub stopt naast de vier vrienden die behoorlijk natgemiezerd zijn. 'Ik rij het Smokkelaarspad op,' zegt hij. 'Maar als dat beestje daar ook niet is, zijn we hem kwijt. Fiets nog even mee, want halverwege het pad beginnen de bossen en kan ik niet verder met de bus.'

Alsof het viertal iets anders van plan was! Speurend in alle richtingen rijden ze achter de dierenambulance aan, het onverharde pad op. Bij een rij rood-witte paaltjes dwars over de weg stopt Huub weer en draait het raampje open. 'Vinden jullie het erg om nog een stukje verder te gaan? Kijk, daarginds splitst de weg zich. Als twee van jullie rechtdoor gaan en de anderen rechtsaf, moeten jullie die hond vinden als hij hier nog ergens is. Bel me even als je hem gevonden hebt, dan rij ik om en kom assisteren.'

'Doen we, chef,' roept Fro. 'Kom Ruud, wij gaan die kant op.'

'Rij niet te ver door,' roept Huub hen achterna. 'Ik blijf hier niet wachten tot volgend jaar!'

'Over tien minuten draaien we om,' belooft Rat, terwijl hij een druppel regen van zijn neus likt. Hij en Princess vervolgen het Smokkelaarspad, zigzaggend om de plassen, en Ruud en Fro nemen het fietspad dat naar rechts aftakt.

Fro kijkt op haar horloge. 'Om tien over half moeten we omkeren,' zegt ze. 'Ik hoop maar dat we die arme hond vinden.'

Snel fietsen ze over het slingerende pad, terwijl ze hun ogen goed de kost geven. Er is niets te horen of te zien. Na ongeveer twee kilometer maakt het fietspad een scherpe bocht. Daar eindigt het haaks op een doorgaande weg door het bos, weet Ruud.

Fro kijkt weer op haar horloge. 'Het is tijd om terug te gaan,' zegt ze.

'Nog een klein stukje,' zegt Ruud. 'Tot de T-splitsing!'

'Wacht,' roept Fro. 'Hoor je dat?'

Ze remmen om beter te kunnen luisteren. Schuin voor hen uit, in de verte, klinkt een geluid van ijzer dat over steen schraapt.

'Dat moet hem zijn,' roept Fro. 'Kom mee!'

Terwijl ze voortracen, zwelt het geluid aan tot een rammelend, rinkelend kabaal. Ze zwieren de hoek om…

'Daar,' gilt Fro.

Tweehonderd meter verderop draaft op het fietspad langs de grote weg een hondje, een kleine gladharige terriër. Het beest sleept een ijzeren paal van meer dan een meter lang achter zich aan!

'We hebben 'm,' zegt Ruud in zijn mobieltje, waarop hij vlug het nummer van de dierenambulance heeft getoetst. 'Hij loopt op de Wezerikweg, ter hoogte van…' Hij kijkt rond.

'... van fietsknooppunt 47. Snel, Huub. Dat beest gaat er als een speer vandoor. Fro en ik zullen alvast proberen hem te pakken.'

Terwijl Huub en Mart onderweg zijn, zetten Ruud en Fro de achtervolging in. Maar het hondje is daar niet van gediend. Het kijkt vol argwaan achterom en gaat van draf over in galop. Met gestrekte nek en zijn staart tussen de benen maakt het dat het wegkomt. De paal stuitert wild over de hobbels in het fietspad.

Na een tijdje zegt Ruud: 'Dit gaat zo niet. We jagen hem steeds verder weg. Ik ga proberen vóór hem te komen om hem de pas af te snijden.'

Meteen zwenkt hij naar de overkant van de weg om het hondje op zo groot mogelijke afstand te passeren. Maar goed dat er geen verkeer is, want hij jakkert tegen de rijrichting in! Fro ziet hem een heel eind verderop omdraaien, weer oversteken en terugkomen, maar nu in een veel kalmer tempo om het hondje niet af te schrikken. Zelf mindert ze ook vaart. Heel rustig rijden ze van twee kanten op de terriër af. Die houdt aarzelend in.

Ruud gebaart naar Fro: afstappen! Hij geeft zelf het goede voorbeeld en legt zijn fiets neer. Langzaam lopen ze de laatste dertig meter naar de vluchteling. Nog twintig meter, nog tien...

De hond loert zenuwachtig naar links en naar rechts. Ruud en Fro blijven staan. 'Kom maar, ouwe jongen,' zegt Ruud vleiend. 'We doen je niks, we willen je juist helpen. Kijk eens wat ik hier heb.' Hij strekt een gebalde vuist naar voren alsof hij koekjes in de aanbieding heeft. Voetje voor voetje loopt hij naar het hondje toe.

Dat kijkt hem met glimmende, nieuwsgierige ogen aan. Hij heeft een ondeugende snoet met een vlek om zijn ene oog. Heel langzaam komt zijn staart omhoog en slaat een weifelend kwispeltje.

'Braaf, je bent braaf,' zegt Ruud. Nog een stapje, nog een… Hij houdt zijn adem in. 'Nou niet meer weglopen, hoor. Dat wordt niks met die paal achter je aan. Brave hond.'

Opeens klinkt er een daverend motorgeronk achter hem en een harde toeter scheurt de stilte in het bos aan stukken. Het is een vrachtwagen, en de chauffeur gebaart kwaad naar Ruud: zijn fiets ligt half op de weg! Maar Ruud heeft alleen oog voor de hond. 'O nee,' jammert hij.

Het dier vlucht regelrecht het bos in!

Fro en Ruud rennen hem achterna. 'Hij zal zich bezeren,' roept Fro. De paal ketst tegen de bomen en laat de struiken zwiepen.

Ruud belt Huub. 'Hij is het bos in,' hijgt hij. 'Je ziet onze fietsen wel liggen. Volgens mij gaat hij recht op het kasteeltje af.'

Het kasteeltje is een ruïne in het bos, waar ooit een excentrieke kerel heeft gewoond. Die heeft het eigenhandig gemetseld, helemaal in de stijl van een oud ridderkasteel, maar dan in miniatuur. Het staat alweer jaren leeg en het bos is bezig het te overwoekeren. Inderdaad doemt het even later op tussen de bomen.

'Probeer hem ernaartoe te drijven,' hijgt Ruud. 'Het is de enige manier om hem klem te zetten.'

'Oké, jij links, ik rechts,' hijgt Fro.

Ze doen er nog een schepje bovenop. Door aan weerszijden van de hond te rennen, dwingen ze hem rechtdoor te gaan, precies op het vervallen gebouw af. Onder aan de gevel, vlakbij een brede, brokkelige trap die buitenlangs naar het platte dak voert, stopt het dier. Hij dribbelt nerveus een paar passen naar links, maar ziet daar Ruud. Als hij zich omdraait, ziet hij Fro. Hij laat zijn kop zakken en gromt.

Fro en Ruud lopen heel langzaam op hem af. Ruud lokt hem weer met vleiende woordjes. 'Kom, kereltje, het is mooi geweest. Laat ons maar eens helpen. Braaf... brave hond... Stik!'

De hond heeft een sprong genomen en stuift de trap op! De stuiterende paal slaat vonken uit de stenen.

'Eigenwijs mormel,' raast Ruud. Hij neemt ook een sprong, maar glijdt bijna uit.

'Pas op,' waarschuwt Fro. 'Alles is glad van de regen.'

Voorzichtig beklimmen ze de trap. Als ze op het platte dak komen, zien ze het hondje bibberend in een hoek staan. Hij drukt zich bang tegen de borstwering.

'O, druif,' zegt Fro tegen hem. 'We doen je heus niks! Kom nou maar hier.'

'Laat hem maar, Fro,' zegt Ruud. 'Als hij daar blijft, is het goed. Ik bel Huub nog een keer.'

'Ik heb hem liever stevig vast,' meent Fro. 'Dat gekke beest is watervlug. Kom maar, jongen.'

Dat laatste zegt ze tegen het hondje en ze doet een stapje dichterbij. Het dier jankt, zet zich met krabbelende poten af op de natte stenen, en springt...

'Nee!' gilt Fro.

Kleng! De ijzeren paal die achter de hond door de lucht suist, blijft tussen twee kantelen steken. Het touw spant zich. Beneden klinkt een hoog, gillend gejank.

Ruud en Fro rennen naar de borstwering. Bijna drie meter lager bengelt het hondje, halverwege de gevel! Hij is dwars door een boompje gevallen dat in een spleet in de muur groeit, en er lopen bloederige schrammen over zijn kop.

'Wat een sukkel,' bromt Ruud. 'Zorg dat die paal niet losschiet. Dan hijs ik hem op.' Hij pakt het touw beet en haalt het hand over hand naar boven. Een paar slagen lukt dat prima, want de kleine terriër is niet erg zwaar. Maar opeens zit hij ergens vast. Hoeveel kracht Ruud ook zet, hij kan hem niet verder omhoogtrekken. De hond jankt oorverdovend.

Fro buigt zich over een kanteel. 'Stop,' roept ze. 'Je doet hem pijn. Hij blijft haken achter dat boompje!'

Ruud kijkt ook en stampvoet. 'Wat moeten we nou? We kunnen dat beest toch moeilijk zo laten hangen tot Huub en Mart er zijn!' Hij laat heel voorzichtig het touw weer vieren. 'Ik ga naar beneden,' zegt hij kort. 'Daar klim ik naar hem toe en buig dat boompje opzij. Trek jij hem op.'

'Klimmen?' roept Fro uit. 'Je nek breken, zul je bedoelen! Doe niet zo stom, Ruud!'

Maar Ruud is al weg.

De muur is glibberig van de regen, maar er is houvast genoeg. Hij is opgemetseld met grillig gevormde brokken steen, en op veel plaatsen groeit taai gras in de voegen. Het duurt niet lang of Ruud is ter hoogte van het bengelende hondje. 'Zo, brokkenpiloot,' groet hij. 'Zul je je nou eindelijk koest houden?'

Hij klemt zich vast en kijkt omhoog naar Fro, die zijn capriolen angstig gadeslaat. 'Trekken maar, Frootje. Voorzichtig.'

Terwijl Fro het hondje ophijst, duwt Ruud het boompje opzij. De takken zijn soepel en veren mee. 'Dat gaat goed,' meldt hij. 'Volgens mij heeft-ie trouwens iets aan zijn achterpoot. Ik zie–'

'Let jij nou maar op je eigen achterpoten,' roept Fro zenuwachtig. 'Die muur is spekglad!'

'Die muur is–' begint Ruud, maar opeens schiet het boompje met wortels en al los uit de spleet. Wild graait hij naar houvast, maar zijn handen glijden van de glibberige stenen. Met een kreet smakt hij naar beneden!

'Ruud! Ruud!' gilt Fro. Beneden haar jammeren Ruud en het hondje om het hardst. Ze rukt vertwijfeld aan het touw. Vlug, de hond omhoog, dan kan ze naar Ruud! Opeens klinken er stemmen in het bos.

'Fro, wat is er?' hoort ze Mart roepen.

'Mart,' schreeuwt ze opgelucht. 'Help! Ruud is gevallen!'

Takken kraken, voetstappen bonken, en het volgende ogenblik helpt Mart Fro het hondje op het dak te trekken, en knielen Huub, Princess en Rat bij Ruud neer.

Die ziet spierwit van de pijn. Hij is hard op het stenen terras neergekomen, half overeind gekrabbeld en met een gil weer in elkaar gezakt. 'Mijn enkel,' kermt hij.

'Stommeling, wat heb je gedaan?' gromt Rat.

Huub betast voorzichtig Ruuds enkel. 'Hij is hartstikke dik,' zegt hij bezorgd. 'Misschien gebroken. Mankeer je verder niks?'

Ruud schudt zijn hoofd terwijl hij met tranen in zijn ogen op zijn lippen bijt.

Mart en Fro komen met het hondje naar beneden. 'Hier is nog een patiënt,' zegt Mart. 'Gewonde achterpoot.'

'Dat zijn dan twee gewonde achterpoten,' bromt Huub. Hij haalt zijn mobieltje tevoorschijn. 'Tijd voor een tweede ambulance.'

'Bel de bavianenambulance maar,' zegt Rat met een boze blik op zijn broer. 'Wie breekt er nou zijn benen voor een hond?'

'Let maar niet op hem,' kreunt Ruud. 'Hij is gewoon ongerust.' Vals voegt hij eraan toe: 'En zelf is hij een held op sokken.'

Rat snuift. 'Ík kan mijn sokken tenminste nog aan!'

Zwart in het rood en je bent dood

Het valt gelukkig mee met de voet van Ruud.
Zijn enkel is niet gebroken, maar zijn enkel-
band is gescheurd, dus voorlopig hinkelt hij thuis rond. Rat,
Princess en Fro verdelen hun aandacht tussen de dierenambulance en hun gevelde vriend.

'We hebben een cadeautje voor je,' glundert Fro als ze op
een dag, twee weken na het ongeluk, binnenkomt. In de gang
klinkt gekrabbel en gehijg.

Ruud begint te stralen. Hij raadt het al. 'Ridder!' roept hij
uit. Hij heeft tijd genoeg gehad om een naam voor het hondje te bedenken, terwijl hij aldoor hoopte dat er geen eigenaar
zou komen opdagen. Princess komt lachend binnen, met de
kleine terriër stevig aan de riem. 'Cadeautje van de dierenambulance,' roept ze.

'Zijn baasje heeft hem ergens aan een paal gebonden en in
de steek gelaten,' zegt Fro. 'Zo moet het gegaan zijn.'

'Ik laat jou nooit in de steek, Ridder,' zegt Ruud verontwaardigd, terwijl hij het hondje omhelst en knuffelt. Ridder
blaft en geeft hem een lik over zijn neus.

'Francis heeft hem laten chippen,' vertelt Fro. 'Maar goed
ook, want die dierendieven lopen nog steeds vrij rond.'

'Zijn ze nog niet bij Mart geweest?' grinnikt Ruud. Zijn
vrienden hebben hem op de hoogte gehouden, en Marts die-

rentuin is in de afgelopen weken gegroeid met een gewonde kip, een verdwaalde schildpad, een kanarie, een konijn, een stuk of wat duiven en nog veel meer pechvogels.

'Ben je gek, er komen alleen maar beesten bij,' zegt Rat. 'Hij zou nog dolgraag een slang willen, zegt-ie.'

'Er komen er niet alleen maar bij,' zegt Princess. 'Gisteren vertelde Mart dat alle duiven naar de til van zijn buurman zijn, en het kanariepietje naar een oude mevrouw.'

'Hij zegt het,' snuift Fro. 'We moeten het maar geloven. Ik heb honderdduizend keer geprobeerd bij hem op bezoek te gaan, maar dan is er dit en dan is er dat. Het lijkt wel of hij me niet binnen wíl hebben.'

'Wie jou niet binnen wil hebben, is een rund,' flapt Ruud eruit. Meteen krijgt hij een kop als vuur. Hij buigt zich diep over Ridder.

'Je knuffelt de verkeerde,' pest Rat. 'Die arme Frootje...'

Verder komt hij niet, want die arme Frootje smijt een kussen in zijn gezicht.

Ruud leidt haastig de aandacht van het onderwerp af. 'Zal ik jullie eens wat vertellen?' zegt hij. 'Morgen mag de tape eraf. Binnenkort kan ik weer meedoen!'

Op een warme zaterdagmiddag eind april is Ruud tot blijdschap van iedereen weer van de partij. Hij valt met zijn neus in de boter. Terwijl Princess en Mirjam, de chauffeur van die middag, een paar benches schoonmaken en er ontsmettingsmiddel in sprayen, gaat de telefoon. Het lijkt wel of hij nog dringender klinkt dan anders. Ronald, die centralist is op zaterdag, zit al klaar met pen en papier. 'Dierenambulance, met Ronald.'

Zijn wenkbrauwen vliegen omhoog. 'Wat zegt u? Vast? Klem, bedoelt u? Goed, geeft u uw gegevens maar, we komen eraan.'

Als ze de hoorn op het toestel legt, zegt hij verbouwereerd: 'Er zit een slang klem in een schutting, in de Orlando di Lassistraat 7.'

'Klem?' zegt Mirjam verbaasd.

'Een slang,' roept Rat en hij springt op, waarbij Blits bijna van zijn schouder duikelt. Zijn stoel klettert om. 'Kom mee, Mart. Je wilde er toch één?'

'Hoezo, "kom mee, Mart"?' grijnst Mart. 'Ik zou maar uit de buurt blijven met Blitsje. Slangen zijn dol op ratten... Als hoofdgerecht, welteverstaan!'

Rat trekt een gekke bek. 'Blits past heus wel op zichzelf, dat moet jij toch weten.' Hij doelt op alle keren dat Mart Blits probeerde te aaien, maar als dank een grauw en een snauw kreeg .

'Ik bel onze slangenexpert,' zegt Ronald. Hij toetst het nummer in van Sjoerd Wagtmans, een specialist in de regio die altijd komt opdraven als de dierenambulance uitrukt voor een slang. Even later betrekt zijn gezicht. 'Voicemail. Verdraaid, hij heeft zijn mobiel áltijd aan staan.'

'Geeft niet, ik weet genoeg van slangen,' zegt Mart. 'Mijn oom had een reptielenafdeling in zijn dierentuin en daar heb ik ontzettend veel van slangen geleerd.'

Ronald kijkt twijfelend.

'Echt,' zegt Mart. Hij trekt zijn feloranje dierenambulance-bodywarmer aan. 'Ik heb jaren en jaren met slangen gewerkt, vertrouw me nou maar!'

'Goed dan,' verzucht Ronald. 'Maar ik blijf Sjoerd Wagt-mans proberen. En als je ook maar éven twijfelt, Mart, niks doen!'

Meneer Smits, de bewoner van de Orlando di Lassistraat 7, leidt hen met een zure glimlach de zijtuin in, waar op de oprit een oploopje staat van mensen uit de straat. Ze houden eer-biedig afstand van de betonnen schutting die de oprit van de brandgang scheidt.

'Sla dat beest kapot,' roept een man als hij de vrijwilligers van de dierenambulance ziet.

'Waarom zou ik?' zegt Mart. 'Laat me maar eens kijken.'

In het gras onder aan de schutting ligt een rode slang met zwarte en witte strepen, vastgeklemd tussen twee palen. Hij moet minstens een meter lang zijn, maar alleen de voorste helft is zichtbaar, en hij kronkelt wanhopig om los te komen. Princess zuigt haar adem in. 'Wat een beauty,' fluistert ze.

Mart laat zich rustig op zijn hurken zakken, een meter of twee van de slang vandaan.

'Het lijkt wel een koraalslang,' fluistert Mirjam. 'Die zijn zo giftig als de pest!'

Ze zegt het zó zachtjes dat alleen de vier vrienden vlak ach-ter hen het horen.

Mart schudt langzaam zijn hoofd. 'Hij lijkt erop,' zegt hij, 'maar dat is hij niet. "Zwart in het rood en je bent dood", zeg-gen de slangenkenners. Dat rijmpje gaat over de koraalslang. Maar de tekening van deze is nét even anders, zie je dat? Bo-vendien wordt een koraalslang nooit zo lang. Deze slimmerik vermomt zich graag als koraalslang om vijanden af te schrikken, maar zelf is hij ongevaarlijk, tenminste, zolang je geen muis bent. Het is een melkslang, ofwel op z'n zondags: een trianglum.' Tegen de slang zegt hij: 'Ik heb je door, bedrieger.'

Hij staat op en zegt tegen de angstige toeschouwers: 'Dit beestje is niet giftig, beste mensen. Hij is ontsnapt uit een terrarium. Ik zal proberen hem los te krijgen en dan nemen we hem mee. Het is belangrijk dat iedereen rustig is, want van lawaai en gedoe wordt hij hoe langer hoe banger en dan werkt hij zich nog verder klem. Let ook op uw voeten, want hoe minder trillingen in de bodem, hoe beter.'

Verbaasd dat een slang bang is voor hen, houden de mensen hun mond. Ze staan stil te kijken hoe Mart de slang benadert. 'Kom eens ouwe sufferd, wat heb je gedaan?' bromt hij, terwijl hij zachtjes probeert of hij het dier los kan trekken. Het lukt niet.

'Kun je hem niet van de andere kant terugtrekken?' vraagt Rat.

'Nee, want dan beschadig ik hem,' zegt Mart. 'Een slang lijkt glad en stevig, maar zijn huid is bedekt met schubben die van zijn kop naar zijn staart wijzen. Als je daartegenin schuurt, gaan ze kapot. Vergelijk het maar met je oren: als jij je hoofd tussen de spijlen van een hek duwt, kun je misschien wel heen, maar niet meer terug!'

Ze kijken naar de kronkelende slang. Zijn gevorkte tong flitst in en uit zijn bek.

'Zal ik de brandweer bellen?' stelt Mirjam voor. 'Misschien kunnen zij met een koevoet…'

'Wacht even,' zegt Mart. 'Er is een andere manier die ik graag eerst zou proberen.' Hij draait zich om naar meneer

Smits. 'Hebt u iets van olie in huis? Pindaolie of slaolie of zo…'

Meneer Smits loopt haastig de keuken in. Even later komt hij terug met een plakkerig flesje pindaolie.

'Dankuwel,' zegt Mart. Hij knielt bij de slang neer en druppelt wat uit het flesje op de plek waar het lange lijf klem zit. 'Ziezo, en nu maar wachten,' lacht hij. Opeens kijkt hij bezorgd. 'Jammer dat ik niet aan twee kanten van de schutting tegelijk kan zijn. Er is een kleine kans dat hij nu wél achteruit kan kruipen.'

'Ik ga wel naar de brandgang,' zegt Mirjam. 'Ik durf hem wel op te pakken nu ik weet dat het geen gifslang is. Ik heb de rattenslang van het vmbo bij ons op de gang ook al een paar keer uit zijn bak gepakt.'

'Neem jij de doos maar mee,' zegt Mart, terwijl hij op de kunststof box wijst die ze uit de bus hebben meegenomen. 'Ik red me wel zonder.'

Miriam loopt op haar tenen weg, maar Rat, Ruud, Princess en Fro blijven op hun plaats vlak achter Mart staan.

'Doordat hij zo kronkelt, wordt de olie verdeeld over zijn lijf,' vertelt Mart fluisterend. 'En als hij goed glad is, zal hij…'

Wat er dan zal gebeuren, zien ze op hetzelfde moment. De slang is los! Hij glijdt door de scheur in het beton en dreigt in het lange gras even verderop te verdwijnen. Maar Mart is sneller. Met een zekere greep pakt hij het dier en tilt het van de grond.

'Ooo,' gaat er door het publiek. Schoorvoetend komen de dapperste toeschouwers dichterbij.

De slang hangt in lussen in Mats handen en glijdt langzaam

over zijn arm omhoog. Kalm pakt hij hem bij de kop en brengt hem terug naar beneden, terwijl hij naar Mirjam roept: 'Ik heb hem!'

'Wat een prachtige kleur rood,' merkt een buurvrouw op.

'Het zijn prachtige beesten,' zegt Mart met een glimlach. 'En als een kenner zegt dat hij niet gevaarlijk is, kun je gerust in zijn buurt komen.'

'Moet je dat tongetje zien,' gilt een meisje met groengeverfde plukken haar griezelend, wijzend op de flitsende gevorkte slangentong.

'Mag ik hem aanraken?' vraagt een jongen. 'Is hij koud en slijmerig, zoals ze altijd zeggen?'

'Voel maar,' zegt Mart. 'Wel voorzichtig, hoor. Hij is de schrik nog niet te boven.'

De jongen aait de slang, terwijl de buurtbewoners zenuwachtig grinnikend toekijken. 'Hij is lekker glad en warm,' roept de jongen verbaasd.

'Zei u nou dat hij ontsnapt is uit een terrarium?' vraagt meneer Smits. 'Hoe kan dat? Mensen die slangen houden, hebben er toch veel verstand van?'

'Dat zou je willen,' zegt Mart spijtig. 'Er zijn veel mensen die slangen houden, maar er zijn er maar weinig die echt goed weten hoe het moet. Als het aan mij lag, zou elke slangenverkoper zijn klanten een half jaar garantie moeten geven. Dat zou hem dwingen goede informatie te geven, en zo kun je veel dierenleed voorkomen.'

'Waar komt deze slang vandaan?' vraagt de mevrouw die de rode kleur zo mooi vond. 'Uit Azië of zo?'

'Uit Amerika,' vertelt Mart. 'Ze leven in het zuiden van de Verenigde Staten en het noorden van Mexico. Maar als het goed is, is deze gekweekt in Nederland. Importslangen gaan allemaal dood in Nederland. Ze worden ziek van ons water. Mensen die geïmporteerde slangen kopen, zijn dierenbeulen!'

Mirjam heeft zich door de menigte weten te dringen en reikt Mart de kunststof box aan. Die laat de slang erin glijden en knipt het deksel in het slot. 'Ziezo, mensen, einde voorstelling!' zegt hij.

Met een groet klauteren Mart en Mirjam in de dierenambulance en ze rijden terug naar de centrale. De vier vrienden fietsen achter hen aan.

Fro stompt Ruud op zijn arm. 'Hoe beviel het, Ruudje, je eerste uitruk? Een slang nog wel!'

'Zeg, blijf eens van mijn broertje af, heks,' zegt Rat. 'Je mag arme, verzwakte jongetjes niet stompen!'

'Arme, verzwakte jongetjes!' protesteert Ruud. 'Niks zwak,

daar gaan we!' Hij pakt Fro bij haar schouder en duwt haar voor zich uit, terwijl hij steeds harder op zijn pedalen stampt. Ze suizen met een vaart over het asfalt. Fro gilt het uit. 'Ruud! Ruud! Stop!'

'Hé,' roept Princess opeens, wijzend naar de dierenambulance in de verte. 'Hij gaat de verkeerde kant op!'

Weeskuikens

Rat trekt meteen zijn mobieltje en belt Mirjam en Mart. 'Zeg, jullie rijden naar snackbar De Trommel, ga je ons soms trakteren?' vraagt hij.

'Zou je willen, jochie. Jammer voor jou, er is een melding gekomen van een overreden eend, waarschijnlijk een vrouwtje,' klinkt de stem van Mirjam. 'Dat betekent in deze tijd van het jaar dat we ook even uitzoeken of ze soms kuikens had, want die kunnen niet alleen achterblijven. Helpen jullie mee?'

'Stomme vraag,' zegt Rat. 'Waar gaan jullie naartoe? Parkweg? Oké!'

'Hm, mijn trek in een broodje hamburger is al over,' bromt Rat, als ze een paar minuten later naast Mart en Mirjam op de Parkweg staan. Er is niets over van de arme eend, die plat als een pannenkoek aan het wegdek plakt. Haar veren liggen overal.

'Voor haar kunnen we niets meer doen,' zegt Mirjam. 'Maar we gaan kijken of er soms weeskuikens in de buurt zwemmen. Als jullie in de sloot aan deze kant van de weg zoeken, lopen Mart en ik even naar de parkvijver.'

Nog voor de vier vrienden helemaal langs de sloot gelopen zijn, horen ze Mart al roepen. Hij staat bij de bus en zwaait met zijn armen. 'Ze hebben iets,' zegt Princess, en ze rennen terug.

Als ze bij de bus aankomen, haalt Mart juist de twee vangnetten uit de laadruimte. 'Het zijn er negen,' vertelt hij. 'Negen eendenkuikens waar geen eend iets mee te maken wil hebben. We gaan ze vangen en grootbrengen, want zonder hulp redden ze het niet. Veel te veel eendjes-eters in de buurt!'

'O,' roepen Princess en Fro. 'Wat lief!'

Negen pluizige bolletjes, zes gele en drie bruine, peddelen met rappe zwemvliesjes door het water. Ze piepen luidkeels om hun moeder.

'We moeten oppassen dat ze niet naar het midden van de vijver zwemmen,' zegt Mirjam. Ze schuift de steel van haar vangnet uit. 'Dan hebben we een probleem.'

'Nee hoor, dan zwemt Mart er gewoon even naartoe,' giechelt Fro. 'Daar is hij in gespecialiseerd.'

'Weet je hoe leuk die plompbladeren er vanonder uitzien?' vraagt Mart dreigend.

'Ik drijf dat grut heel voorzichtig naar het smalste deel van de vijver, daarginds,' stelt Mirjam voor. 'Ga jij daarnaartoe, Mart? Als we ze in de tang hebben, vissen we ze op.'

Mart knikt en loopt naar de aangewezen plek. Mirjam loopt met uitgestoken net langzaam in de richting van het piepende kluitje kuikens. Argwanend peddelen ze van haar weg, bijna over elkaar buitelend in hun haast.

'Waarom pak je ze niet meteen?' vraagt Ruud. 'Je kunt er nou toch bij?'

'Omdat ik maar één kans krijg, meestal,' zegt Mirjam. 'Als ze ontsnappen, kijken ze daarna wel tien keer beter uit hun doppen.'

Het eerste stuk zwemmen de eendjes dicht bij de oever, keurig voor het net uit. 'Dat gaat goed,' bromt Mirjam. Ze kijkt met een schuin oog naar het punt waar de vijver zich versmalt tot een soort slootje dat nog een stukje doorloopt tussen hoge rododendrons. Mart wringt zich al door het struikgewas. Het troepje weeskuikens nadert dansend op de golven de ingang van het slootje. Nog twintig meter, nog tien, nog vijf…

Dan ruikt het slimste kuiken lont! Luid piepend draait het een kwartslag en zwemt razendsnel naar het midden van de plas. Zijn broertjes en zusjes volgen hem. Maar ze komen niet ver. Er vliegt iets door de lucht, en opeens spat het water vóór de vluchtelingen met een harde plons hoog op! Het regent druppels in de vijver. In paniek draaien de kuikens weer om, met hun kleine pootjes roeiend alsof de duivel hen op de hielen zit. Ze zwemmen pardoes het slootje in, regelrecht op Mart af.

'Rat,' roept Princess boos. 'Dat was gemeen! Ik zag wel wat je deed! Je gooide een steen!'

Rat veegt rustig zijn bemodderde handen aan zijn broek af. 'Dat was niet gemeen,' zegt hij. 'Dat was slim. Kijk!'

Met een snelle haal van zijn net vist Mart alle kuikens in één keer uit het water.

'Goed werk, Mart,' roept Mirjam. 'En goed werk, Rat! Als je die steen niet gegooid had, waren onze negen wezen nou foetsie.'

Rat klopt Princess op haar rug. 'Ik mikte natuurlijk niet op die eendjes,' zegt hij. 'Hoe kun je dat denken! Ik mikte op het open water vóór hen.'

'Je had ze best per ongeluk kunnen raken,' snauwt Princess.

'Kijk,' gilt Fro plotseling. 'Hoe kan dat?'

Ze wijst op het water, waar opeens weer twee eendenkuikens zwemmen.

'Ik had ze toch allemaal,' roept Mart verbaasd. 'Waar komen die twee vandaan? Wel alle...' Hij grijpt naar het net. 'Er zit een gat in,' roept hij.

Hij draait het net bij het gat dicht, pakt de resterende kuikens met net en al in zijn armen en wringt zich door de rododendrons terug naar de anderen. De zeven pluizenbolletjes gaan een voor een in de bench.

'Wat een schatjes,' zegt Princess vertederd. 'Moet je die kleine koppies zien, wat een minisnaveltjes!'

'Kwamen ze maar als je floot,' merkt Mart op. 'Hoe vangen we de rest van de familie nou?'

'Het net repareren en achter ze aan,' zegt Mirjam. 'We hebben twee netten nodig om te voorkomen dat ze ontsnappen. Gelukkig liggen er naald en garen in de bus.'

'Ik haal het wel even,' roept Fro. 'Waar moet ik zoeken?'

'In het dashboardkastje.'

'Neem je het rode klosje mee?' vraagt Mart met een uitgestreken gezicht. 'Dat steekt zo leuk af bij het zwart van het net.'

'Kwallenkop,' zegt Fro.

Ze trekt een sprintje naar de bus, wipt op de plaats van de bijrijder en rommelt in het dashboardkastje. Helemaal achterin ligt een klosje ijzergaren.

'Hebbes,' bromt Fro, maar meteen daarop roept ze: 'Au!'

Iemand heeft de naald zo knullig in het klosje gestoken, dat ze zich prikt aan de punt. Door haar schrikbeweging schiet de naald uit het garen en vliegt met een boog naar de bank. 'Barst,' scheldt Fro. Ze zuigt op haar vinger, terwijl ze met haar andere hand voorzichtig over de bank tast. De naald steekt precies in de naad tussen de zitting en de rugleuning, naast iets wits dat daar blijkbaar weggegleden is. Fro trekt eerst de naald tevoorschijn en dan het witte ding.

Het is een blaadje van een kladblok, klein opgevouwen. 'Dat heeft zeker iemand verloren,' mompelt Fro en ze vouwt het open. De eerste regels zeggen haar niks, maar bij de vierde begint haar hart te bonzen.

> Val dood met je uitstel.
> Onze klant wordt ongeduldig.
> De afspraak blijft staan!
> We kunnen ook je loods openbreken
> in plaats van een eerlijke deal te sluiten.
> Kies maar, maat.

Moord!

Fro's oren suizen. Loods, staat er! Dit briefje moet van Mart zijn. In gedachten ziet ze de stekeltjesjongen die bij Mart op bezoek was, die avond dat ze hem duivenvoer bracht, en ze hoort hem weer zeggen: 'Twintig stuks, vóór 1 april, dat is de deal.'

En ze herinnert zich Marts kwade, geschrokken stem toen hij haar op het pad zag: 'Wat moet je hier?' Hij deed toen net of hij haar voor de verkeerde hield, maar nu twijfelt Fro. Had Mart haar die avond wél herkend, maar voelde hij zich betrapt? Was hij met een smerig zaakje bezig? Dit is een dreigbrief!

'Twintig stuks wat?' fluistert ze. 1 april is al een paar weken voorbij, en het briefje heeft het over uitstel. Wat moet Mart leveren? Ze durft het niet eens uit te spreken, laat staan te denken. Twintig... dieren? Waarvoor? Waarom zo stiekem?

'Ben je in slaap gevallen?' klinkt een stem.

Fro schiet omhoog alsof ze door een wesp gestoken is. Bijna vliegt de naald weer uit haar hand. Ze frommelt het briefje vlug in haar achterzak. 'N– nee,' stottert ze. 'Ik verloor de naald, maar ik heb hem gevonden.'

Ruud is haar komen halen. Ze laat hem de naald zien en ze rennen terug naar de anderen.

Zodra Mart het gat in het net heeft dichtgenaaid, gaan ze weer op eendenjacht. Het kost ze zeker een uur om de overgebleven twee kuikentjes te vangen. Ruud, Rat en Princess rollen over de grond van het lachen om de capriolen van de eendjes. Telkens zijn de watervlugge beestjes Mirjam en Mart te slim af. Fro lacht niet mee. Het briefje brandt in haar broekzak.

'Ik wist niet dat je bij de dierenambulance steeds zó nat werd,' klaagt Mart als hij eindelijk de bench met negen weeskuikens in de kast van de bus schuift. Rat vond het in het begin zielig dat alle patiënten op die manier vervoerd werden, tot Loek hem uitlegde dat dieren juist kalmeren in het donker.

Mirjam veegt lachend de modder van haar spijkerbroek. 'Als je bang bent voor...' begint ze, maar dan gaat de telefoon. Ze haalt het toestel tevoorschijn: 'Nou moe, het is wel raak vandaag.'

'Hallo Ronald, met Mirjam. Zeg het eens.'

Mirjam schrikt. Alle vrolijkheid is meteen voorbij. De anderen spitsen hun oren om het gesprek op te vangen.

'Wát! Dat meen je niet! ... Geef me even de gegevens... En de eigenaar? Nog niet bekend... Hm-m. Oké, we gaan erop af, tot... De kids? Hm-m. Ja, je hebt gelijk, dat zal ik ze vragen.'

Als ze het toestel heeft uitgedrukt, zegt ze met een harde blik in haar ogen: 'Ronald heeft een melding binnen van een hond die bij de ingang van de volkstuinen gevonden is... verdronken, met een steen om zijn nek. Hij zei dat jullie maar even goed moeten nadenken of jullie daar wel mee naartoe willen gaan.'

Princess slikt. 'Dat hoef ik niet te zien.'

'We kunnen daar niks doen, of wel?' vraagt Ruud.

'Misschien toch,' meent Rat. 'Ik hoorde Mirjam zeggen dat de eigenaar nog niet gevonden is. We zouden wat kunnen rondspeuren. Mensen hangen briefjes op als hun huisdier weg is.'

'Maar als die hond gechipt is?'

'Dan draaien we om en gaan we naar huis. Het is toch bijna etenstijd.'

'Wat doe je, Princess?' vraagt Ruud.

'Ik ga mee,' zegt Princess zachtjes. Ze is wit om haar neus.

Fro loopt al vooruit naar de fietsen. Voorlopig is het geheimzinnige briefje uit haar gedachten verdwenen.

Als de vier vrienden arriveren op de plek waar de hond uit een sloot is gevist, beweegt Mirjam juist het afleesapparaat voor chips over het dode dier. Naast haar staat een magere man met rubberlaarzen.

Princess wendt haar blik af, maar de anderen kijken toe met strakke gezichten. In een grote plas water ligt een keeshondje met een gezwollen lijfje. Zijn vacht zit vol modder en algen. Er loopt bloed uit zijn neus en tussen de spleetjes van zijn oogleden is alleen wit te zien. Fro bijt hard op haar lip. Rat en Ruud kijken woedend naar de halsband die het dier om heeft. Er zit een touw aan vast, met aan het eind een stoeptegel. 'Wat een gore lafaards,' roept Rat schor. 'Wie doet nou zoiets... Zoiets...' Hij kan geen woorden vinden. 'Dit is moord!'

'Hij is niet gechipt,' zegt Mirjam zachtjes.

'Ik zag hem drijven daarstraks, en ik dacht dat het een pluchen beest was,' vertelt de man met de rubberlaarzen. Hij leunt op de hark waarmee hij het hondje uit het water heeft gevist. 'Hoelang zou-ie daar gelegen hebben? Hij stinkt al behoorlijk.'

Mart knielt bij het keeshondje neer en voelt aan de haren. Hij trekt zonder moeite een plukje uit de huid. 'Al een dag of twee, drie,' schat hij. 'De haren laten al los, maar hij is nog niet...' Hij kijkt verontschuldigend op. '... nog niet aan het ontbinden,' maakt hij dan zijn afschuwelijke zin af.

'Daar is de politie,' meldt Mirjam. 'Die hebben we gewaarschuwd.'

Aan het begin van de laan die naar de ingang van de volkstuinen leidt, draait een politiewagen van de hoofdweg af.

Opeens moet Fro denken aan een papiertje dat ze daar net heeft zien fladderen aan een boom. 'Ik heb daar een briefje zien hangen,' roept ze uit. 'Je zei toch dat mensen briefjes ophangen als ze hun huisdier kwijt zijn, Rat? Laten we even gaan kijken, Princess!' Ze racen weg.

De politiewagen stopt bij het toegangshek. Twee agenten stappen uit. 'Goeiemiddag,' groeten ze.

'Goeiemiddag,' zeggen Mart en Mirjam. Mart wijst op de verdronken hond. Rood van drift zegt hij: 'De gevangenis is nog te goed voor zulke laffe dierenbeulen!'

'Drie jaar, als we ze vinden,' zegt de ene agent. 'Drie jaar celstraf, maar daar heeft dit arme beest niks meer aan.'

De magere man herhaalt zijn verhaal voor de agenten en wijst de plaats aan waar hij het hondje heeft opgedregd. Er klinkt een schreeuw. Fro en Princess komen hijgend terug, zwaaiend met een velletje papier. 'Deze mensen zijn een kees-hondje kwijt,' roept Fro. 'Familie Van Dijkhuizen. Hun tele-foonnummer staat erop.'

Mirjam neemt de mobiele telefoon van de dierenambu-lance uit haar zak en belt. Even later zegt ze: 'Ze komen eraan.'

Mevrouw Van Dijkhuizen barst in tranen uit als ze het hondje ziet. 'Dat is 'm,' snikt ze. 'Dat is onze Joppertje! O, wat heb-ben ze met hem gedaan!'

Haar man balt zijn vuisten. 'Wat een vuile schoften!' schreeuwt hij.

Een van de agenten vraagt: 'Hoe bent u hem kwijtgeraakt? Bij het uitlaten?'

'Nee,' snikt mevrouw Van Dijkhuizen. 'Hij is drie nachten geleden uit ons huis gestolen. De politie dacht door die die-venbende waar de kranten vol van staan.'

Er klinkt een vreemd geluid, alsof iemand zich verslikt. Mart draait zich om en hoest hard en lang.

'Waarschijnlijk was uw hondje te lawaaierig en werd dat tuig bang,' zegt de agent tegen meneer en mevrouw Van Dijkhui-zen. 'We denken dat hij al sinds die nacht in het water ligt.'

Ruud denkt aan de poes in de glasbak en voelt een koude rilling over zijn rug lopen. Die schurken zijn gewetenloos!

Mevrouw Van Dijkhuizen begint nog harder te huilen, maar meneer Van Dijkhuizen zegt: 'Dat zou goed kunnen. Joppertje ging altijd als een gek tekeer bij vreemden. We von-den het al zo raar dat ze hem zomaar hebben kunnen meene-men.'

'Misschien hebben ze hem verdoofd,' peinst de agent. 'Maar is hij gaan blaffen toen de verdoving uitgewerkt raakte. Hij wilde niet meer stoppen, totdat...' Hij zwijgt.

Het is een trieste stoet die even later naar huis fietst. Princess voelt zich misselijk en Fro schaamt zich er niet voor dat de tranen over haar wangen rollen. Ruud heeft zijn arm om haar schouders geslagen. Zijn broer aait Blits, die lijkt te weten dat zijn baasje troost nodig heeft. Het tamme ratje snuffelt met kriebelende snorharen aan Rats oor.

Niemand op de hele wereld kan je beter troosten dan je huisdier, denkt Rat verdrietig. Maar wat als ze je vriendje laf vermoorden?

Een rare verrassing

De volgende middag is het nieuws van het gestolen en verdronken hondje op de radio en de tv. Op de foto's die getoond worden, is te zien hoe lief en vrolijk Joppertje was. Hij was nog maar anderhalf jaar oud.

Rat zet de tv uit. 'Ik wil het niet zien,' zegt hij stroef. De vier vrienden hangen bij de tweeling thuis op de bank. Wanneer de dierenambulance in het nieuws is, zijn ze altijd trots en opgewonden, maar nu voelen ze zich alleen maar hol en akelig. Het is zondag en vandaag rijdt de dierenambulance niet omdat het rooster niet rond te krijgen was. Dat maakt alles nog erger.

'Ik wou dat we die dierendieven bij de politie konden afleveren,' zegt Princess.

'Ja, als we eens een spoor te pakken konden krijgen...' zegt Rat, zijn kiezen woedend op elkaar geklemd.

Fro krimpt in elkaar. Het briefje! Het zit nog in haar achterzak. Ze heeft de anderen er niets van verteld. Mart, die leuke knul, die alles voor dieren over heeft... Het kán niet dat hij... Hij is geen dierenbeul, geen moordenaar! Ze moet het briefje verkeerd begrijpen, dat kan niet anders. Maar Fro durft het niet aan haar vrienden te laten zien.

'Wie gaat er mee naar Mart?' vraagt Princess. Roet, die lui naast de bank ligt, spitst een van zijn oren. Hij draait het grappig flappend in de richting van Princess' stem. Hoort hij daar het woord 'mee'?

'Mart wil dat we hem van tevoren bellen,' zegt Ruud. Hij kriebelt Ridder op zijn kop.

'Mart kan opvliegen,' snauwt Princess. 'Ik heb gewoon zin om alle beesten die we wél hebben kunnen redden te zien en ze te knuffelen.'

'Hij heeft tegenwoordig trouwens altijd zijn voicemail aan,' zegt Fro. Zij kan het weten, want ze heeft Mart al wel honderd keer gebeld om te vragen of ze langs mag komen.

'Maar als hij niet thuis is?' vraagt Ruud.

'Dan breek ik de loods open,' zegt Princess dreigend, maar daar meent ze niks van. Ze meent wél dat ze eropuit wil, want het is net of hier blijven zitten haar almaar verdrietiger maakt.

'Kom op dan,' roept Rat en springt op.

Maar Roet is nog sneller. Hij danst blij blaffend om hen heen en laat Rat struikelen.

'Hij is er niet,' roept Princess als ze een halfuur later voor een gesloten voordeur staan. Ze bonst boos op het hout. 'Wanneer is die snertvent er wél?'

Ze slenteren naar de ingang van de loods, maar die is stevig op slot. De ramen zitten hoog en zijn vies, zodat ze zelfs met een beetje acrobatiek niet naar binnen kunnen kijken.

'Ik verveel me te pletter,' klaagt Princess.

Ze fietsen langzaam de straat uit en doelloos een andere straat in, in de richting van de weilanden. Het jonge groen aan de bomen blinkt en schittert in de zon. Roet en Ridder huppelen voor hen uit.

'Hé,' zegt Ruud opeens en wijst in de berm.

'Wat is er?' vraagt Rat.

In de berm, vlak bij het prikkeldraad, fladdert een donkere vogel hulpeloos met zijn vleugels. Hij is zo groot als een merel, maar heeft grote ogen, een scherpe snavel en klauwachtige nagels. Fro grijpt Roet vlug bij zijn halsband en lijnt hem aan. Ruud fluit Ridder.

'Waarom vliegt hij niet weg?' vraagt Princess.

Ze loopt langzaam naar de vogel toe. Die fladdert nog heftiger en strompelt een eindje bij haar vandaan. 'Hij valt steeds om,' zegt ze verbaasd. 'Het is net of hij geen poten heeft!'

'Hij heet niet voor niks Apus Apus,' klinkt een stem achter hen. 'Dat betekent: zonder poten.'

Ze kijken verrast om en zien een man met een hond, een Duitse herder, die nieuwsgierig aan Roet snuffelt. Ridder trekt aan zijn riem en jankt.

'Een Apus Apus?' giechelt Fro.

'Ofwel een gierzwaluw,' zegt de man met een glimlach. 'Hij heeft wel poten, maar hij kan ze niet gebruiken op de grond. Dit vogeltje leeft zijn hele leven in de lucht.'

'Zijn hele leven?' roept Rat uit. 'Waar slaapt hij dan?'

'In de lucht dus,' grinnikt de man. 'Gierzwaluwen stijgen 's avonds naar een hoogte van wel vijf kilometer en cirkelen in hun slaap op de wind weer langzaam naar beneden.'

'Wow, daar heb ik nog nóóit van gehoord,' zegt Ruud perplex. 'En hoe komt deze dan op de grond terecht?'

De man krabt zich achter zijn oor. 'Misschien heeft hij geprobeerd te paren en is het fout gegaan. Dat gebeurt weleens. Ze paren in de lucht, en soms slaat er een te laat zijn vleugels uit.'

'Maar waarom vliegt hij dan niet weg?' vraagt Princess. 'Is hij gewond? Hij ziet er ziek uit.'

'Een gierzwaluw ziet er op de grond altijd ziek uit. Dat komt omdat zijn hartslag daar flink daalt. Dan zou jij er ook ziek uitzien! Maar nee, zijn probleem is dat, als hij eenmaal op de grond is terechtgekomen, hij niet meer op eigen kracht de lucht in kan komen. Daar is hij gewoon niet op gebouwd.'

'En als we hem helpen?' merkt Ruud op.

'Dat kan,' zegt de man opgewekt. 'Maar dan moeten we hem oppakken en meenemen naar het midden van dit weiland. Daar heeft-ie tenminste de ruimte.'

Het kost Princess weinig moeite om het diertje op te rapen. Voorzichtig pakt ze hem in haar handen, de vleugels tegen het lijfje gevouwen en de rare, klauwachtige pootjes naar achter. Ze klimmen over het prikkeldraad en lopen de lege wei in. Als ze eenmaal ver genoeg van alle bomen verwijderd zijn, vraagt Princess: 'En nu?'

'Nu gaan we kijken of hij de wind pakt. Luister goed. Zet hem straks op je vlakke hand en steek die omhoog. Laat hem daar rustig zitten. Als de wind gunstig voelt, zal hij zich opwarmen en dan gaat zijn hartslag omhoog. Niet schrikken, want hij zal opeens flink trillen en als het goed is, slaat hij dan zijn vleugels uit.'

'En als hij dat niet doet?'

'Als hij alleen fladdert en niet wegzeilt, mag je hem voorzichtig een licht zetje meegeven. Niet gooien, dan breek je zijn vleugels!'

Ze kijken allemaal gespannen toe hoe Princess de instructies precies opvolgt. De donkere vogel lijkt op te leven als hij opeens de ruimte en de lauwe wind weer om zich heen voelt. De grote ogen blikken oplettend in het rond. Zoals de man al voorspeld had, begint hij opeens hevig te trillen. Princess houdt haar adem in en hoopt dat ze het zal voelen als de gierzwaluw hulp nodig heeft. Maar ze had niet bang hoeven zijn. Opeens slaat de zwaluw zijn vleugels uit en zeilt op de wind de lucht in, waar ferme slagen hem verder omhoog stuwen.

'Hoera,' roepen ze allemaal.

Met hun hand boven hun ogen tegen het felle licht van de voorjaarszon kijken ze het dier na.

'Dankuwel, meneer,' zegt Princess met stralende ogen. 'Zonder u hadden we niet geweten wat we hadden moeten doen.'

'Ik ben gek op dieren, jongens. Ik ben blij dat we dit beestje hebben kunnen helpen.'

'Nu hij vertrokken is, kunnen we maar beter gauw maken dat we uit dit weiland komen,' zegt Ruud bezorgd. 'Als de eigenaar ons ziet...'

'De eigenaar staat voor je,' lacht de man met de Duitse herder. 'Ik ben Ton Dekkers en dit is Spik. We wonen in dat huis daar, in de Voorstraat.'

'Dekkers? Voorstraat?' zegt Princess met gefronste wenkbrauwen. 'Ik heb het gevoel dat ik die namen al eens eerder heb gehoord.' Opeens klaart haar gezicht op. 'Ja! U moet de Dekkers zijn waar ons zwarte haantje naartoe is gegaan! Het haantje dat de dierenambulance heeft opgepikt. Hoe is het met hem?'

Nu fronst Ton Dekkers zijn wenkbrauwen. 'Haantje? Wat moet ik in vredesnaam met een haantje?'

'Voor bij uw kippen natuurlijk,' zegt Princess verbaasd. 'Mart heeft het opgevangen toen hij van zijn vriend hoorde dat u een haantje zocht.'

'Maar ik heb nooit een haantje gezocht. Ik heb geen kippen!'

Fro krijgt het opeens ijskoud.

'Nou, dat is sterk,' zegt Rat. 'Woont er soms nog een Dekkers in de Voorstraat? Een Dekkers met kippen?'

Ton Dekkers schudt zijn hoofd. 'Nee, dat weet ik zeker.'

'Waarom zegt Mart dan dat die haan naar u is?' vraagt Ruud zich af.

'Al sla je me dood,' zegt Ton.

'Ik denk...' zegt Rat langzaam, 'ik denk dat ik nog eens naar Marts huis wil, jongens. Ik wil zien of een van de buren een duiventil heeft.'

De anderen begrijpen meteen wat hij bedoelt. Mart heeft gezegd dat de zwarte haan naar Dekkers is gebracht, de kanarie naar een oude mevrouw en de duiven naar de til van zijn buurman. Maar als de háán niet bij Dekkers is...

Ze bedanken Ton Dekkers nog eens, nemen haastig afscheid van hem en gaan op een holletje terug naar hun fietsen. Terwijl ze tegen de wind in naar het huis van Mart trappen, hijgt Princess: 'Maar waarom zou Mart zoiets zeggen als het niet waar is?'

Fro doet aarzelend haar mond open, maar klapt hem weer dicht.

Rat haalt zijn schouders op. 'Weet ik veel. Wat mij veel meer boeit, is: waar is die haan dan wél?'

'Misschien is het gewoon een vergissing,' oppert Ruud.

'Misschien,' zegt zijn broer. 'Dat hoop ik. Maar ik wil toch even kijken of die duiven wel bij de buurman zijn.'

Even later staan ze weer bij Mart voor het huis. Het is er nog steeds rustig. De vier vrienden kijken om zich heen. In de hele buurt is geen duiventil te zien...

Een buitenkans!

'Dit is hartstikke raar,' zegt Princess. Ze voelt zich akelig. 'Waarom liegt Mart? Waar zijn die beesten dan?'

Fro slaakt een lange, bibberende zucht. 'Er is iets…' zegt ze met een klein stemmetje.

De anderen kijken haar verbaasd aan.

Fro trekt het verfomfaaide briefje dat ze in de dierenambulance gevonden heeft uit haar broekzak. 'Dit zat tussen de voorbank in de ambulance. Ik vond het toen ik die naald zocht, gisteren. Het is van Mart, iemand heeft het hem gestuurd.'

De ogen van Ruud, Rat en Princess vliegen over de regels. Hun mond valt open.

'Waar gaat dit over?' vraagt Princess.

'Weten jullie nog dat Mart dat duifje met die gekke staart meenam naar huis? Ik heb hem die avond duivenvoer gebracht. Er gebeurde toen iets vreemds, maar ik was het alweer vergeten omdat ik even later die duif met die gebroken poot vond, en… nou ja, er gebeurde zo veel.' Fro vertelt hoe raar Mart zich die avond gedroeg.

De anderen luisteren vol afgrijzen.

Als ze is uitgepraat, zegt Rat langzaam: 'Op dat briefje staat: "We kunnen ook je loods openbreken". Dus… Mart zou twintig stuks leveren van iets wat hij in zijn loods heeft?'

'Dat lijkt me wel, ja,' zegt Fro ongelukkig.

'Dat kunnen alleen maar dieren zijn,' fluistert Ruud. 'Hoort Mart... Is hij...'

Fro slikt. 'Ik ben zo bang dat hij bij die gemene dierendieven hoort!'

'Maar hij is hartstikke aardig,' stottert Princess.

'O ja?' bromt Rat. 'Blits en Roet vinden van niet, dat hebben we vaak genoeg gezien. En dieren voelen mensen heel goed aan...'

Ze zijn alle vier heel bleek geworden.

'Wat moeten we doen?' vraagt Ruud. 'Moeten we dit aan Francis vertellen? Of aan de politie? Wat moeten we nou?'

Opeens is Princess boos dat ze Mart van zulke afschuwelijke dingen verdenken. 'Misschien gaat dat briefje over een heel andere levering,' roept ze uit. 'Twintig fietsen, of twintig harken, of weten wij veel. Die loods is groot genoeg! En misschien kan Mart gewoon geen nieuwe baasjes vinden voor alle dieren, en schaamt hij zich daarom kapot en verzint hij maar wat. Het kan best zijn dat alle dieren nog gewoon daarbinnen zijn!'

'Dat is ook weer zo,' verzucht Ruud.

Met brandende wangen zegt Princess: 'Mart is altijd goed geweest voor alle beesten, ook al moeten Blits en Roet niks van hem hebben. Zijn jullie vergeten hoe hij zijn leven waagde voor die gewonde hond bij de stuw?'

'Nou, leven waagde...'

'Ja! Mart gééft om beesten, ik vind het een hartstikke aardige vent, en ik ga niet naar de politie of Francis of wie dan ook voor we zeker weten dat hij iets met die vuile dierendieven te maken heeft!'

Het blijft een tijdje stil. Niemand weet wat hij moet zeggen. Eindelijk haalt Rat zijn schouders op en mompelt: 'Goed dan. We zeggen nog niks. Maar wat doen we dan wél?'

'We moeten in die loods zien te komen,' zegt Princess. 'Daar vinden we het antwoord. Als er beesten verdwenen zijn...'

'Oké,' zegt Rat. 'Maar hoe?'

Dat weten ze geen van vieren. Het moet stiekem, dat is zeker, want Mart laat hen er niet in.

'We weten niet wanneer hij 's avonds weg is,' zegt Fro. 'En overdag is het te link, dan ziet iedereen ons.'

'We moeten nog maar eens nadenken,' verzucht Princess.

De volgende dag giet het van de regen. Dat is voor Fro, Ruud, Rat en Princess nog nooit een reden geweest om na school niét naar de dierenambulance te gaan, maar vandaag blijven ze thuis. Ze zijn bang om Mart tegen het lijf te lopen, want die is tegenwoordig haast elke dag te vinden op de centrale.

'Ik zou niet weten wat ik moet zeggen of hoe ik moet kijken,' zegt Fro benepen, als ze op het schoolplein afscheid van elkaar nemen.

Ze maakt huiswerk, hangt voor de tv, piekert en is blij als het eindelijk etenstijd is. Na het eten gaat ze een eind lopen met Roet. Het is gestopt met regenen en het is heerlijk buiten, ook al schemert het door de over zeilende wolken vroeg. Ondanks alle nattigheid is de temperatuur lekker en de wereld ruikt naar aarde en gras. Overal om haar heen fluiten de merels.

Ze wil net omdraaien en teruglopen naar huis, als ze een

fietsbel hoort. Het is Rat. Hij remt en roept: 'Hoi! Heb jij je ook zo kapot verveeld vanmiddag?'

'Nou,' bromt Fro. 'Er is niks aan zonder dierenambulance. Ik wou dat alles weer gewoon was.'

Rat neemt Blits van zijn schouder. 'Zeg eens dag tegen Roet.'

Hij zet het ratje op de rug van de hond. Die is wel aan Blits gewend. Hij draait zijn kop, snuffelt goedmoedig en kwispelt. Blits gaat op zijn achterpoten zitten en kijkt parmantig in het rond.

'Het is net of hij gaat paardrijden,' giechelt Fro.

Een paar dikke druppels spatten uit elkaar op de stoep. Het begint weer te regenen.

'Stik, ik heb geen jas bij me,' zegt Fro.

Opeens roept Rat: 'Daar! De dierenambulance! O, Fro, ga mee! Als het goed is, zijn dat Saskia en Fred. Wie weet waar ze op af gaan!'

Fro hoeft geen seconde na te denken. Rat grijpt Blits, zet hem op zijn schouder, en Fro springt achter op zijn fiets. 'Kom, Roet,' roept ze.

Terwijl Rat trapt zo hard hij kan, belt Fro naar de ambulance die in de verte om een bocht verdwijnt.

'Dierenambulance, met Saskia.'

'Hoi, Sas. We zien jullie net rijden, waar gaan jullie naartoe?'

'Ha, Frootje. We dachten al dat jullie van de aardbodem verdwenen waren. De bende van vier een dag niet op de centrale, da's maf hoor! Er is een vosje aangereden op de Vezelaarsweg, ter hoogte van de holle boom.'

'Ik weet waar dat is. Rat en ik komen eraan.'
'Goed hoor, tot zo. Doei.'

Rat kiest hobbelige binnendoorweggetjes. Tegen de tijd dat
ze aankomen op de Vezelaarsweg, is Fro's achterwerk veran-
derd in appelmoes. Het is gelukkig weer gestopt met regenen,
op een paar druppels na. Een eind verderop zien ze in het
schemerdonker een oranje zwaailicht waarschuwend flitsen.
  'Daar staat-ie,' hijgt Rat.
  De Vezelaarsweg is een lange, kronkelige, slecht verlichte
weg die langs de bossen loopt. De bus staat op de weg, achter
het verkeersslachtoffer. In de berm staat een Mercedes met
knipperende alarmlichten scheef geparkeerd. Twee vrijwilligers van de dierenambulance, in hun oranje jacks met reflec-
terende strepen, zitten bij de vos geknield terwijl een man in
een grijs pak een paraplu boven het groepje houdt. Het re-
genwater drupt uit zijn jasje. 'Ik kon er niets aan doen,' stottert hij aldoor. 'Hij vloog zó uit die bosrand en stak de weg
over. Ik kon hem niet meer ontwijken. Arm beest.'
  'U hebt voor hem gedaan wat u kon, meneer Van de Kamp,'
zegt Saskia rustig. 'U hebt zelfs een paraplu boven hem gehouden, terwijl u zelf doornat werd.'
  Rat zet zijn fiets tegen een boom en loopt met Fro dichterbij. Als ze de andere vrijwilliger zien, stokt hun adem. Het is
Fred niet, het is Mart!
  'Ha, kids,' zegt Mart.
  'Hoi,' zeggen Rat en Fro als ze hun stem teruggevonden
hebben. Ze durven Mart niet aan te kijken, maar kijken naar
de vos.

Het dier ademt zwaar met open bek en kijkt angstig naar de mensen om hem heen. Zijn linkerachterpoot ligt vreemd gedraaid onder zijn lijf. De glanzende roodbruine vacht op zijn achterlijf zit onder het bloed.

'Ongelooflijk,' mompelt meneer Van de Kamp. 'Dat beestje is er zo vreselijk aan toe, en toch heeft hij zich in de tijd dat ik op jullie wachtte helemaal tot hier weten te slepen.' Hij wijst op het bloedspoor op het wegdek, dat half is weggespoeld door de regen.

Saskia heeft plastic handschoenen aan en onderzoekt de wond voorzichtig.

'Zijn poot is gebroken,' zegt ze. 'En de scherpe breukrand van het bot heeft alles kapotgesneden, daarom bloedt het zo.'

'Pas op dat hij je niet bijt in zijn angst,' zegt Mart. 'Moet ik hem muilkorven?'

'Ik zou het niet doen, dat zou hem nog banger maken. Hij gromt niet en hij laat zijn tanden niet zien. Het is gewoon een arm, angstig vosje. Nog niet zo oud, volgens mij. Wil jij even wat verband pakken, en de brancard, Mart?'

Terwijl Mart de brancard uit de bus gaat halen, vertelt Saskia aan meneer Van de Kamp: 'We gaan dit vosje een noodverbandje geven en brengen hem naar de dierenarts. Ik denk dat hij een goede kans maakt.'

Het druppelen is gestopt en de laatste wolk is weggedreven. Meneer Van de Kamp klapt zijn paraplu dicht. De maan is niet vol, maar schijnt zo helder dat ze de vos nu beter kunnen zien. Als Mart terug is, legt Saskia heel voorzichtig een noodverband aan. 'Dit is niet om te spalken, maar om het bloeden te stelpen,' legt ze uit. 'Als we hem straks op de brancard tillen, moeten we zijn gewonde poot goed stilhouden, anders is er de kans dat het bot verder naar buiten komt.'

Ze draait zich om naar Fro en Rat, die stil toekijken. 'Kun jij even helpen tillen, Fro?' vraagt ze. 'Wel eerst even plastic handschoentjes uit de bus pakken. Vossen dragen veel parasieten bij zich waar je ziek van kunt worden.'

Vóór ze de vos op de brancard tillen, legt Saskia uit hoe ze het zullen doen. Mart zal hem bij de kop en schouders pakken en zijzelf zal ervoor zorgen dat tijdens het tillen de stukken bot in de poot niet bewegen. Fro moet de vos onder zijn gezonde heup optillen. 'Ik tel tot drie,' zegt Saskia. 'Een... twee... drie... Ja!'

Met een soepele, snelle beweging tillen ze de vos op de brancard. Hij laat een hartverscheurende, hoge jankende piep horen, maar hij bijt nog steeds niet. 'Goed zo, jongen, goed zo,' sust Saskia. 'Je bent een brave ouwe reus. We gaan je helpen, hoor.'

Ze schuiven de brancard voorzichtig de ambulance in. Mart, Saskia en Fro trekken hun handschoenen binnenstebuiten en proppen ze in de afvalbak die in de bus staat. Ze sprayen hun handen met ontsmettingsmiddel.

'Hebt u de vos aangeraakt?' vraagt Saskia aan meneer Van de Kamp.

Die schudt zijn hoofd. 'Dat durfde ik niet,' bekent hij. Hij trekt zijn portemonnee. 'Laat mij bijdragen in de kosten van zijn behandeling. Ik hoop zó dat hij weer helemaal de oude wordt.' Hij geeft Saskia een briefje van twintig euro.

'Geweldig, dankuwel,' zegt ze blij verrast. 'De dierenambulance moet van giften rondkomen, dus dit komt reuze goed van pas!'

'Wat gebeurt er met de vos als hij beter wordt?' vraagt meneer Van de Kamp.

'Nadat de dierenarts hem behandeld heeft, gaat hij naar de vossenopvang in Sittard,' vertelt Saskia, 'de enige plaats in Nederland die toestemming heeft om vossen langer dan twaalf uur in gevangenschap te houden. En als hij dan weer helemaal beter is, mag hij terug naar zijn eigen bos.'

'Dan hoop ik dat hij voortaan beter uitkijkt bij het oversteken,' zegt meneer Van de Kamp. 'En ik zal nóg beter opletten, zo pal aan de bosrand.'

Ze nemen hartelijk afscheid van elkaar. Meneer Van de Kamp stapt in zijn Mercedes, start de motor en rijdt zwaaiend weg. Net als Saskia en Mart ook willen instappen, gaat de telefoon.

'Dierenambulance, met Saskia,' zegt Saskia. Ze maakt naar Mart een schrijfbeweging. Die haalt haastig pen en papier uit zijn zak.

'Mevrouw Van Vught… ja… Een eend? Aangereden? Maar hij… ja… ja… Kan niet tot morgen wachten, nee. Nee, dat begrijp ik. Oké, laat ons even uw gegevens noteren, dan komen we eraan.'

Mart schrijft en zucht. 'Ik denk, och, ik draai die dienst van Fred wel even,' bromt hij met een grimas naar Fro en Rat. 'Die jongen voelde zich niet lekker. Maar het wordt een nachtdienst, geloof ik.'

Saskia geeft hem een por. Ze heeft het mobieltje uitgedrukt. 'Kom, zeurpiet, rijden,' zegt ze.

Algauw verdwijnen de achterlichten van de dierenambulance in het donker.

Rat en Fro kijken hem na, en Rat voelt zijn hart sneller slaan. 'Frootje...' zegt hij langzaam. 'Denk jij wat ik denk? Dit is een buitenkans! Het is donker en Mart blijft nog wel een uur of langer weg... We moeten als de bliksem naar zijn loods. Bel de anderen en zeg dat ze een zaklamp meenemen.'

Insluipers

Ze ontmoeten elkaar in Marts tuin, bij de dubbele deur die de ingang is van de loods.

'Ik heb mijn moeder gezegd dat ik bij jou nog wat moest ophalen voor ons werkstuk,' zegt Princess tegen Fro.

Fro grinnikt. 'Dan hoop ik niet dat ze mijn moeder belt, want ik heb tien minuten geleden hetzelfde gezegd maar dan andersom.' Ze houdt haar mobieltje omhoog. 'En ze zei dat ik niet te lang moest wegblijven.'

'We moeten sowieso opschieten,' bromt Rat. 'Vóór we het weten, staat Mart voor onze neus.'

Ruud kijkt zenuwachtig de straat in.

Ze onderzoeken de deur van de loods. Die zit natuurlijk op slot.

'Inbeuken,' stelt Rat voor.

De anderen lachen hem uit. 'Als jij je schouder wil breken, ga je gang,' zegt Ruud. 'Die deur is veel te stevig, en bovendien: Mart zou meteen zien dat er ingebroken was!'

'Laten we een keer om de loods heen lopen,' stelt Princess voor. 'Misschien zien we iets; een open raam of een luik of zo.'

Fro en Ruud lopen linksom met Roet op hun hielen en Rat en Princess gaan rechtsom. Ze soppen door het natte, kniehoge gras dat om de loods groeit. Opeens slaakt Princess een gesmoorde kreet. Fro en Ruud rennen de hoek om. Rat en Princess staan bij een aanbouwseltje aan de hoge zijmuur. Dat wil zeggen: Rat staat, maar Princess is er helemaal in gekropen. Weer klinkt er een triomfantelijke kreet.

'Sst, gil niet zo,' zegt Rat. 'Je zet de hele buurt op stelten.'

Princess kruipt achteruit terug door het vierkante gat in de bladderende houten wand. Het is zo nauw dat ze bijna klem komt te zitten. Ze staat op en klopt haar handen af. 'Dit is een oud kippenhok, met een uitloop uit een binnenhok,' zegt ze stralend.

De anderen staren haar dom aan.

'En?' vraagt Fro.

'Stelletje koeien! Een uit-loop... Moet ik het spellen?' roept Princess ongeduldig. 'Er zit daar in de muur een gat. Voor de kippen, om van binnen naar buiten te gaan en andersom.'

'Yo,' roept Rat verrast.

'Sst, gil niet zo, je zet de hele buurt op stelten,' aapt Princess hem pesterig na. Dan vertelt ze: 'Het binnenhok is niet in gebruik, er staan dozen in.'

'En zitten we daar niet als een stel kippen opgesloten?' vraagt Rat. Het is bijna te gemakkelijk!

Princess haalt haar schouders op. 'Misschien moeten we wat gaas kapottrekken, maar dat zien we dan wel weer.' Ze knipt haar zaklamp weer aan. 'Ik ga de loods in.'

Een voor een kruipen ze door het gat in de muur. Fro gaat als laatste, met Roet aan de lijn. Princess is er al in geslaagd zich tussen de dozen in het binnenhok te wurmen. Ze schuift ze opzij om meer ruimte te maken. Even later laten ze hun lampen door de loods schijnen.

Er klinkt geritsel en gescharrel, en hier en daar zijn verschrikt opgloeiende ogen in de lichtbundels te zien. Het ruikt naar dieren.

'Ze zijn er nog,' sist Princess. 'Zie je wel. Mart is geen dierendief!'

'Laten we ze eerst maar eens gaan tellen,' fluistert Rat. 'Ik heb gisteren een lijstje gemaakt van alle dieren die naar hem zijn gegaan, en…'

Een rauwe stem onderbreekt hem: 'Wie is daar?'

De vier vrienden springen bijna een meter de lucht in. Met doodsbleke gezichten staren ze in de richting van het geluid.

'W– wij,' zegt Princess nogal onhandig. Ze voelt haar hart in haar keel kloppen. Ze slikt. 'En wie… wie bent u?'

'Wie is daar?' klinkt de stem weer.

'Wij zijn…' begint Rat wanhopig.

'Wie is daar?' schreeuwt de stem eroverheen.

Opeens stikt Ruud van het lachen. 'Zijn jullie de papegaai vergeten?' hikt hij. 'Kwallenkop! Plof maar!' Hij komt niet meer bij.

Rat hijgt. 'Dat mormel. Da's de tweede keer dat ik een hartverzakking krijg van dat snertbeest!'

Beledigd krast de papegaai, ergens in het donker: 'Kijk naar je eigen!'

Opgelucht lachen ze alle vier hun schrik weg.

Fro wijst op de gaasdeur van het hok, die wagenwijd openstaat. 'We kunnen er tenminste gemakkelijk uit. Laten we rondkijken of er dieren ontbreken.'

De loods is hoog en hol. Het is één ruimte en Mart heeft de kooien en hokken rondom tegen de wanden gezet. Alleen achterin springt de hokkenrij naar voren, omdat zich hier tegen de wand voormalige betonnen varkensstallen bevinden. Het zijn drie ruimtes van ongeveer drie bij drie meter, afgescheiden door muurtjes van een meter hoog. In het midden van de loods staat een gammele oude auto, een versleten bank, een paar stoelen en een wiebelige tafel. Op de tafel staan dozen, potten en papieren zakken met dierenvoer.

De vrienden zien alle oude bekenden weer terug: het stinkdier, het Turkse tortelduifje waarvan de staart inmiddels goed hersteld is, de duif die Fro met een gebroken poot heeft opgeraapt, het lawaaierige zwarte haantje, de negen weeskuikentjes en alle anderen. De melkslang met zijn fantastische rood-wit-zwarte lijf ligt in een mooi ruim houten hok achter in de loods. Door de glazen voorwand zien ze hem genieten van zijn bad in een pot water.

'Er ontbreekt er niet één,' verklaart Rat die zijn lijstje heeft afgevinkt.

Princess kijkt opgelucht.

'Oké,' zegt Ruud peinzend. 'Nu weten we dat alle dieren hier nog zijn, en dat Mart gelogen heeft over de nieuwe eigenaren. Maar... verder weten we nog niks!'

Fro denkt na. 'Het briefje ging dus óf over iets anders,' zegt ze, 'óf over een afspraak die nog moet komen.'

Princess doet haar mond open om iets te zeggen, als ze buiten op het pad voetstappen horen. In paniek kijken ze naar de deur.

'Wegwezen,' sist Rat.

Er is te weinig tijd om naar het oude kippenhok te sprinten en zich daar achter elkaar tussen de dozen door naar het gat in de buitenmuur te wringen. Alsof ze het afgesproken hebben, rennen ze daarom struikelend naar de varkenshokken en duiken weg achter de betonnen muurtjes. Fro sleurt Roet mee en hoopt vurig dat hij geen kik zal geven. Met trillende handen knippen Rat en Princess de zaklampen uit.

Net op tijd. Er wordt een sleutel in het slot gestoken en omgedraaid, en de deur zwaait open. Iemand drukt op een schakelaar. Opeens baadt de loods in het helle licht van de tl-buizen aan de dakbalken.

'Wie is daar?' krijst de papegaai.

De vier vrienden weten het antwoord. Mart! Nu al?

Verraad

Wat de vrienden niet konden weten, is dat mevrouw Van Vught, de melder van de gewonde eend, opnieuw naar de dierenambulance heeft gebeld. Dit keer om te vertellen dat de eend gestorven is.

'Die halen we morgen op,' besliste Saskia meteen. 'Een dode eend heeft geen acute hulp nodig, en het is laat genoeg.'

Toen ze met de vos bij de praktijk van de dienstdoende dierenarts arriveerden, hoefde die niet opgepiept te worden. Hij was nog bezig met het opruimen van de materialen van een andere spoedklus, en verleende direct eerste hulp aan hun roodbruine patiënt. 'Morgen opereer ik hem en zet ik zijn poot,' beloofde hij. 'Voor vannacht geven we hem hier een goed plaatsje. Mijn assistente en ik redden het verder wel.'

Zo waren Saskia en Mart toch nog onverwacht vlug klaar. En Mart fietste als een speer naar huis, want hij had nog een afspraak…

De vier insluipers horen Mart rondscharrelen bij de tafel in het midden van de loods, maar ze durven niet te kijken wat hij aan het doen is. Er klikt iets, er klinkt een hoog, gierend geluid, dan weer een klik. Mart mompelt iets in zichzelf. Er ritselt een papieren zak. Misschien voert hij alle dieren en verdwijnt weer, hoopt Rat. Maar even later ploft Mart met een zucht op de versleten bank en klinkt er geen enkel geluid meer.

In doodse stilte wacht het viertal op wat er komen gaat. Ze kijken elkaar hulpeloos en bang aan. Ze kunnen nu toch moeilijk tevoorschijn komen en alles aan Mart opbiechten! Gelukkig ligt Roet rustig op de betonnen vloer, zijn kop op zijn poten.

Opeens klinkt er een klop op de houten deur. Mart springt overeind. Fro, Princess, Rat en Ruud van schrik bijna ook. Fro legt net op tijd haar hand over Roets snuit om te voorkomen dat hij gaat blaffen.

'Ben je daar?' klinkt een stem.

'Kom erin,' antwoordt Mart.

'Voeten vegen, viezerik!' schreeuwt de papegaai. 'Kwallenkop! Wie is daar?'

'Dek die kooi af zodat dat beest zijn kop houdt,' snauwt de stem. 'We hebben zaken te doen.'

Van wie de stem ook is, hij is niet alleen. De vier in hun schuilplaats horen meer personen naar binnen komen. Princess gluurt heel voorzichtig om een hoekje. Ze steekt drie vingers op. Drie kerels! Daarna gebaart ze naar haar hoofd, en wijst vervolgens naar haar schoenen. De stekeltjesknul is erbij, snappen de anderen. Ze houden hun adem in en luisteren.

'Het heeft je moeite gekost, jochie,' spot een andere, diepere stem. 'Twee keer uitstel, da's een beetje veel van het goede. Ik vraag me af of het wel zo'n goed plan was, meneer de ambulancevrijwilliger.'

'Dat ís goed,' zegt Mart. 'Ik had alleen wat aanloopproblemen.'

'Hm, we zullen zien. Volgens mij levert jatten meer op, weet je.'

'Meer risico's, ja,' merkt Mart op. 'Inmiddels is ongeveer elke politieagent in de regio naar jullie op zoek. Mijn methode is veiliger, en nu de aanloopproblemen voorbij zijn, krijg ik meer beesten voor jullie te pakken. En het mooiste is: geen haan die ernaar kraait!'

'Dat is je geraden ook,' snauwt een derde stem. 'De bedrijven waar wij aan leveren, kunnen geen publiciteit gebruiken. Ze betalen goed, maar de voorwaarde is wel dat we in het diepste geheim werken.'

'Noem jullie methode maar geheim,' grinnikt Mart. 'De kranten staan er vol van!'

'Hou je bek, meneer Weetal,' sist een van de drie. 'Laat me je lijst van beesten maar eens zien, dan kunnen we 'm checken.'

'Hebben jullie het geld bij je?' vraagt Mart. 'Boter bij de vis, dat was afgesproken.'

'Wees maar niet bang, jochie. Het is een mooi sommetje. Sinds de wet op dierproeven is aangescherpt, zijn sommige bedrijven bereid heel wat te betalen voor een paar leuke illegale testbeestjes.'

'Dat heb je gezegd, ja,' zegt Mart. 'Maar ik snap nog steeds niet goed waarom.'

De drie dierendieven snuiven. 'Ik heb jullie toch gezegd, die koeienkop moeten we dumpen,' zegt een van hen minachtend.

Maar een ander zucht diep en zegt: 'Ik zal het je nog één keer uitleggen, gabber. Die wet is streng, vat je? De laborato-

ria moeten speciaal gefokte beesten kopen, ze hebben vergunningen nodig, ze moeten aan allerlei regels voldoen, en
ga zo maar door. Dat kost ze klauwen met geld!'

'Maar wat jullie voor die illegale beesten vragen is toch ook
niet misselijk?'

'Haha, maar dat is ook omdat we beloven dat we onze kop
zullen houden. Die laboratoria waar wij aan leveren zijn na-
melijk niet in de haak: die werken stiekem. Ze horen elke
proef te melden, maar ze melden niks, nada, noppes. Hun be-
staan is geheim en de beestjes zijn geheim. Niks dure hokken
en vergunningen, ze werken zo goedkoop mogelijk. Dus van
die vijf euro die jij in de winkel voor jouw gel betaalt, hoeven
zij geen drie euro onkosten af te trekken, maar slechts vijftig
cent of zo. De rest is pure winst, vat je? Daar valt voor alle par-
tijen vet poen te verdienen, jongen!'

'Ha, en die stommelingen van de dierenambulance hebben
niks in de gaten,' grinnikt Mart. 'De beesten stromen mijn
loods in en het geld mijn portemonnee!'

De vier vrienden achter hun betonnen muurtjes kunnen hun
oren niet geloven. Ze kijken elkaar vol afgrijzen aan. Het is àl-
lemaal nog veel erger dan ze dachten! Mart, hun vriend
Mart... Fro veegt driftig een paar tranen van haar wangen.

Princess zit verstijfd op het beton. Ze balt haar vuisten. Wat
een vieze vuile dierenbeulen! En Mart is de allerallerergste
met zijn mooie praatjes en smoesjes en bedrog. Woest gebaart
ze naar Rat en Ruud: wat moeten we doen?

Opeens klinkt de stem van een van de dierendieven argwanend: 'Wat zit er in die papieren zak hierzo op tafel, vriend?'

'Vogelvoer,' zegt Mart. 'Wat anders?'

'Ja, wat anders…' zegt de dief langzaam. 'Dat vraag ik me juist af. Je laat mijn maat zo netjes zijn verhaaltje afdraaien… Ben je iets van plan, vraag ik me af?'

'Ik ben van plan jullie beesten te leveren,' zegt Mart snel. 'Kunnen we…'

Er ritselt papier.

Even is het ijzig stil. Dan brult iemand razend: 'Het is een cassetterecorder, gore verrader!'

Er klinkt een harde vuistslag en een doffe smak, gevolgd door het geluid van schoppende voeten. De drie bendeleden schreeuwen woedend en Mart gilt als een speenvarken.

'Ze tuigen hem af,' sist Ruud spierwit.

Zonder erbij na te denken vliegt Fro hun schuilplaats uit en gilt: 'Hou op! Roet, pák!'

De hel barst los. Roet stuift woest blaffend op de dierendieven af, met zijn scherpe tanden ontbloot, zijn haren recht overeind. Princess springt uit de varkensstal en is met drie grote stappen bij het slangenhok. Ze rukt de glazen schuif open, houdt even in om met zachte hand de melkslang van het krulzaagsel te rapen, en draait zich om. Ze steekt de lange, vuurrode slang voor zich uit en schreeuwt: 'Dit is een koraalslang. Ken je die? Eén beet en je bent dood!' Rat rent met Blits op zijn schouder naar de tafel om Mart te helpen die op de grond kronkelt, en Ruud is met één sprong bij de kooi waarin een kauw geschrokken rondfladdert. Hij trekt het deurtje open en de vogel zet zich af. Luid krassend scheert hij over de hoofden van de dierendieven.

Een paar tellen staan de schurken als aan de grond genageld. Ze staren met open mond naar de woedende kinderen en dieren, die uit het niets tevoorschijn komen. Dan zet Roet zijn tanden diep in de kuit van de stekeltjesjongen en is de betovering verbroken. De jongen brult van pijn en probeert zich los te rukken, met als enige resultaat dat Roet nog harder bijt.

Princess is ondertussen dreigend op de andere bendeleden afgelopen. De onschuldige melkslang laat zijn tong flitsen. De dichtstbijzijnde dief stottert: 'Die meid heeft écht een ko... koraalslang. Uit de weg, dat beest is zo giftig als de kolere!'

Zijn maat heeft het te druk om te reageren. Hij slaat gillend naar de kauw die om zijn hoofd fladdert. Maar als de zwarte vogel wegzeilt naar de dakbalken, vat hij moed. Hij springt in de richting van Rat en steekt zijn handen naar hem uit. 'Laat mijn maten met rust,' schreeuwt hij naar de andere kinderen. 'Ik heb jullie vriendje!'

Maar hij heeft nog niks. Blits zet zich met een woeste grauw af van Rats schouder. Hij vliegt door de lucht, zijn poten gespreid en zijn staart gestrekt, zijn bekje met de lange knaagtanden wijd open. Met een plof landt hij op de schouder van de aanvaller, klauwt zich vast met zijn vlijmscherpe nageltjes en hapt toe.

Dat is te veel van het goede. Brullend rent de knul naar de deuren van de loods, op de voet gevolgd door zijn makker, die voor de slang vlucht. Ze smijten hem open en rennen weg. De kauw ruikt de vrijheid en klapwiekt achter hen aan.

Opeens is het onwezenlijk stil in de loods, op het jammeren van de stekeltjesjongen en het lage grommen van Roet na. De hond heeft zijn tanden nog steeds stevig in het onderbeen geklemd en wacht met hoge rug en gespitste oren op de bevelen van zijn vrouwtje. Blits scharrelt over de vloer op zoek naar Rat.

Mart is de eerste die de stilte verbreekt. Hij krabbelt overeind, veegt het bloed van zijn gezicht en stamelt: 'Waar... waar komen júllie vandaan?'

'Dat leggen we straks wel uit,' zegt Rat haastig. Hij trekt zijn mobieltje uit zijn zak. 'Eerst 112 bellen, anders zijn die twee knakkers foetsie!'

'Wat doen we met die vent?' Fro wijst op Roets kermende slachtoffer. 'Ik kan Roet zeggen dat hij loslaat, maar...'

'We binden hem eerst vast,' zegt Ruud en hij gaat op zoek naar een stuk touw.

Princess geeft de melkslang kleine kusjes op zijn snuit, terwijl ze hem door haar handen laat glijden. 'Jij en Blits en Roet en de kauw... jullie zijn allemaal helden,' zegt ze.

Blits sluit vriendschap

Het is woensdagmiddag en het kantoor van
de centrale van de dierenambulance puilt
uit. Alle vrijwilligers zijn gekomen om te luisteren naar het
sensationele verhaal van Mart, Princess, Fro, Rat en Ruud. De
tafel ligt bezaaid met krantenartikelen waarin grote foto's van
de helden zijn afgedrukt. Francis schenkt koffie en cola, en
Huub en Loek delen grote stukken slagroomtaart rond.

'Je hebt wel idiote risico's genomen, Mart,' zegt Fred terwijl
hij zijn vingers aflikt. 'Voor de dieren dan, bedoel ik. Stel je
voor dat ze echt in die gruwelijke laboratoria waren terechtgekomen!'

'Nooit,' zegt Mart. 'Ik had mijn plan al klaar. Ik zou meteen
met het cassettebandje naar de politie zijn gegaan, en ik wist
het kenteken van het busje waarmee die rotzakken de beesten
kwamen ophalen.'

'Ja, maar als er iets was misgegaan...' Mirjam rilt.

Mart grijnst zuur. Hij voelt voorzichtig aan zijn gezicht, dat
bont en blauw is geslagen en geschopt door de schurken. 'Er
ís iets misgegaan,' verzucht hij.

'Maar gelukkig waren wij er,' roept Rat.

'En de dieren,' vult Princess aan.

'Ik ben behoorlijk stom geweest,' bromt Mart. 'Ik dacht dat
ik het wel alleen afkon...' Zijn stem trilt als hij eraan toevoegt:

'En dat terwijl ik had kunnen weten hoe meedogenloos dat stel was! Die poes in de glasbak was tot daaraan toe, maar die arme Joppertje... Ik was er kapot van toen ik begreep dat dat hun werk was.'

Het blijft even stil.

'Hoe ben je die bende op het spoor gekomen?' vraagt Saskia.

'Wester, die jongen met die stekels, is een oude bekende van me. We hebben jaren geleden samen op roeien gezeten en konden goed met elkaar opschieten. Een maand of drie geleden kwam ik hem na al die tijd toevallig tegen in een café. Hij was behoorlijk dronken. Hij vertelde me triomfantelijk dat hij een goudmijntje had aangeboord, en zat maar te smiespelen over die dierendiefstallen. Ik werd er misselijk van. Maar ik deed net alsof ik geïnteresseerd was, want ik wist dat ik als enige op de hele wereld de bende op het spoor was.'

'Waarom ben je niet naar de politie gegaan?' vraagt Nanda.

'Wat kon ik bewijzen? Wester was dronken, hij kon wel zo veel zeggen! Nee, ik deed net of ik een beter plan had. Ik zei dat ik bij de dierenambulance zou gaan om op die manier allerlei beesten te pakken te krijgen waarnaar geen haan zou kraaien. De rest weten jullie...'

'Ik ben blij dat dat tuig in de gevangenis zit,' roept Fro boos.

'Ja, de politie had die andere twee snel te pakken,' zegt Ruud. Hij denkt terug aan de avond dat Marts erf opeens vol stond met een stoet politiewagens en twee ambulances met blauwe zwaailichten.

'Zouden alle gestolen dieren nu teruggevonden worden?' vraagt Princess zachtjes.

141

'Laten we het hopen, prinsesje,' zegt Loek. 'In ieder geval zullen ze die knullen flink aan de tand voelen, en hopelijk wordt het hele netwerk opgerold, met illegale laboratoria en al.'

'En moeten we nu geloven dat jij al die tijd écht aan de goede kant stond, Mart?' plaagt Ronald. 'Of heb je je er gewoon handig uit gekletst?'

Rat wijst lachend naar Blits. Het ratje heeft snuffelend rondgescharreld tussen de resten slagroomtaart, en koerst nu over de tafel op Mart af. Hij trekt zich omhoog aan de mouw van Marts trui en nestelt zich met een tevreden zucht op zijn schouder. De grote hand van Mart begint hem te aaien.

'Een beter antwoord kunnen we niet krijgen,' zegt Rat met een brede grijns.

De telefoon gaat. Francis drinkt haastig haar mok leeg en loopt naar het toestel.

'Dierenambulance, met Francis.'

Ze luistert en maakt aantekeningen op haar blocnote. Dan wenkt ze Loek en Nanda die dienst hebben en zegt in de hoorn: 'Oké, we zijn al onderweg!'